青土社

あしたの南極学

極地観測から考える人類と自然の未来

Katsutada Kaminuma
神沼克伊

あしたの南極学　目次

果上げ／日中に　オーロラ出ていると　大騒ぎ／ブリザード　気象忙し　我休み／平均の　気温が出るまで三〇年／無いはずの　地震を観測　合点する／定常の　観測続け　大成果／ブルーアイス　黒いものが　隕石だった／でも出ない　天地創造の　大成果／南極の　観測・調査で　満足し／何故調べない　目の前にある　変動現象／掘削で　環境変化　解明す／昭和基地　いつの間にやら　後を追い

第4章　自然　109

寒くても　四季を感ずる　昭和基地／極夜よし　白夜の説明　できぬ隊員／丁度よい　日の出と錯覚　一〇時の目覚め／秋の雪　踏み跡だけが　白くなり／大騒ぎ　転がる太陽　写すため／太陽が　上下に動く　越冬明け／海氷に　氷山　オーロラ　冴えわたる／雪原に　昇る満月　オーロラも／海氷の　ペンギンの列　春近し／アザラシが　泳ぎ教える　開水面／氷融け　トウカモの水浴び　かもめ池／日照で　岩のくぼみに　水溜まり／陽光が　育む流れ　大陸斜面／ブリザード　一〇メートルも　無限の遠さ／雪上車　ホワイトアウトで　迷走す／気が付けば　クレバスだらけで　足すくむ／海氷割れ　沈む雪上車　カメラ浮く／快晴で　テントを揺らす　カタバ風／環境保護　持ち込んだものは　持ち帰り

第5章　生活　143

選ばれた　男冥利の　観測隊／南極で　偉くなったと　錯覚し／初の女子　年寄りばかりが　大騒ぎ／女子越冬大変なのは　男たち／やはり出た　週刊誌上に　スキャンダル／休日に　島を巡って　地理覚え／潮騒に　孤島感じる　昭和基地／海氷上　島かと錯覚　氷山の群れ／割れないと　信じても怖い　海峡の氷／雨漏りに　大騒ぎした　昭和基地／一日の　サイクル大事　極夜の日／忙しい　連発する人　余裕あり／いろいろと　理由をつけて　ごちそうを／各基地と　メール交換　真冬祭／氷点下　火災に弱い　南極の基地／雪原も　注視をすれば峰と谷／雪面の　小さな突起が　畝作り／雪上車　ドアを開けたら　雪の壁／海氷上　そよ風急変　ブリザード／ブルーアイス　エッジも効かぬ　大陸斜面／氷山の　流しソーメンで　春を知る／好天に　身体が動く　南極

南極の主な越冬基地（2018年現在、破線は棚氷）

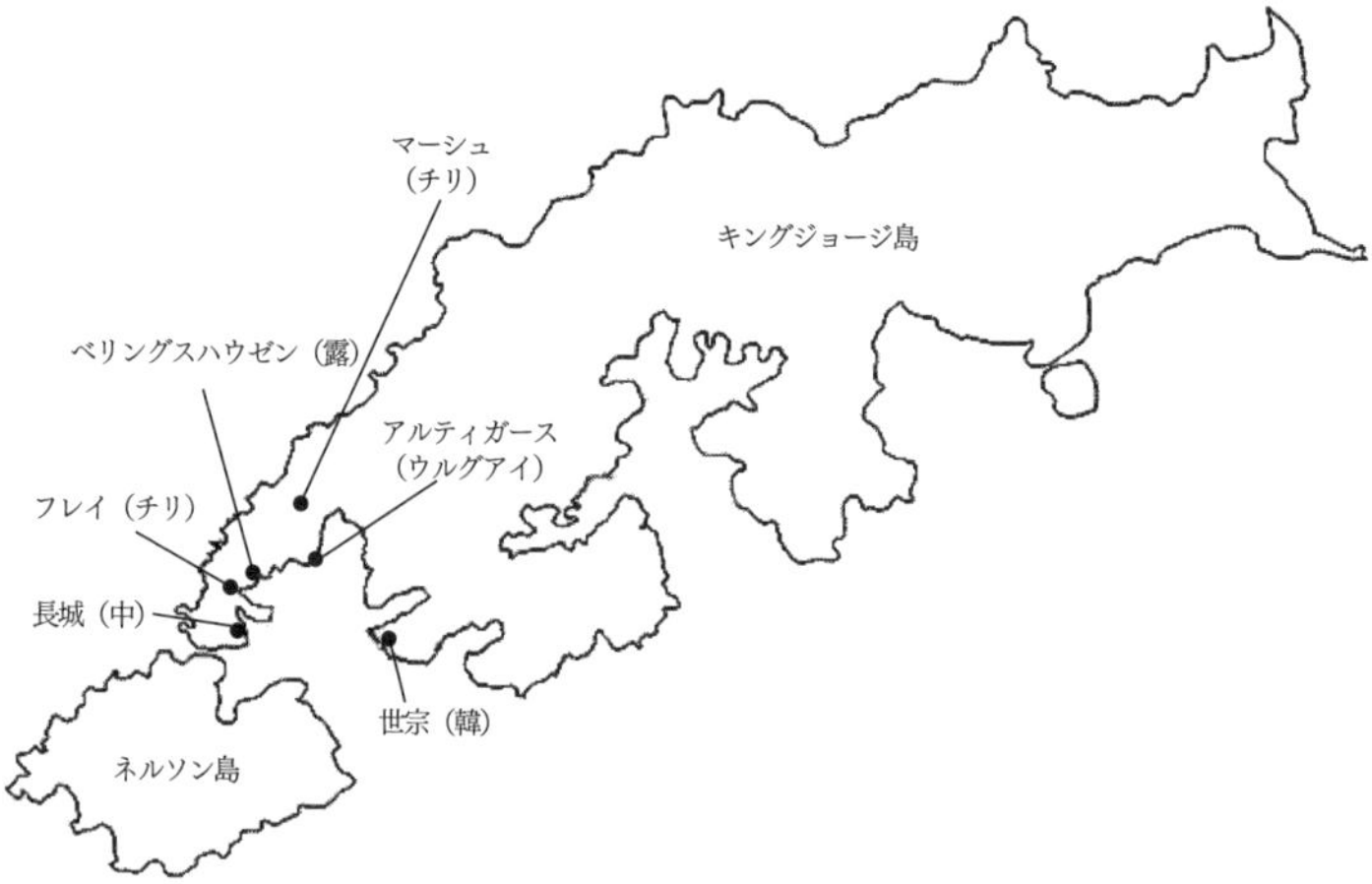

キングジョージ島の主な観測基地

あしたの南極学　極地観測から考える人類と自然の未来

はじめに

大自然に身を置くと人間は何を考えるのか。私は南極という自然の中で、昭和基地の越冬生活を含めて合計五年近く生活しました。そしてそこは「極楽」だったと気が付きました。南極という自然環境の中で私は精神的に育てられました。そしてその南極は今後どうなるのか、どうすべきなのか、あしたの南極の姿を最近よく考えるようになりました。

南極大陸は二〇世紀半ばまで、未知の大陸でした。まともな地形図も作られていない地域に科学のメスを入れようと、各国が協力する形で計画されたのが、国際地球観測年（ＩＧＹ）での南極観測でした。日本もその観測に参加することになりました。

日本の南極観測は一九五六年一一月八日、第１次日本南極地域観測隊が観測船「宗谷」で東京港を出港した時に始まりました。一九五七年一月二九日に南極大陸の沿岸に位置するオングル島に昭和基地が開設され、一一名の隊員が越冬を始めました。

二〇一九年一一月、第61次観測隊が日本を出発し、日本の南極観測隊も還暦が過ぎました。途中四年間の中断があったので、観測隊の隊次と昭和基地の建設からの年数とは一致しません。昭和基地は二〇一七年には建設から六〇年が経過しています。

南極観測に参加を表明したころの日本には、南極に関する知識ばかりでなく、極地に関する知識も、経験もほとんどありませんでした。わずかに明治時代の終わりに白瀬矗が率いる日本南極探検隊が、南極大陸の端に到達したのと、一九三四年から始まった南氷洋捕鯨で、南極海の氷山やオーロラに関する知識があった程度でした。

観測隊も還暦を迎えた時代になり、極地研究に関して日本は世界の国々の中でもトップクラスへと成長し、発展してきました。私自身は第8次隊で越冬してから今日まで、半世紀以上にわたって南極研究に従事し、日本の南極観測ばかりでなく、外国の南極観測も見てきました。

初めて越冬した時に感じたのは、南極観測は国家事業で国民の税金で実施されている、それならその実状を国民に伝えなければいけないという事でした。南極での観測活動はもちろん、人間の生活、そしてその自然など、伝えるべき内容はたくさんあります。また「地球の果ての南極」と一言で表現してしまっても、地球上で起こるいろいろな現象では、その南極が北半球の島国・日本へもいろいろと影響していることも知らせるべきことでした。そんな気持ちから機会あるごとに南極に関する本もかなり執筆してきました。

改めて六十数年の歴史を振り返り、果たして自分が意図したように、南極の情報が伝わっているのかと考えると、どうもそうではなさそうだと感じるようになりました。人々の間でも南極に関する知識は格段に広がっています。広がっているどころか、観測隊員にならなければ行けなかった南極へ、観光で訪れることができるようになっており、私費で南極点まで旅行する日本人も少なくないようです。それでも私は南極の姿が国民全体には伝わっていないと思えて仕方ありません。

考えてみると私が初めて越冬したのは白瀬矗の探検からほぼ半世紀後の事でした。その半世紀は私には遠い昔の事でした。ところが私の最初の越冬も今から半世紀前の事なのです。この半世紀は私にとっては「たったの半世紀」で、五〇年前はほんの最近の事ですが、第60次隊の人たちにとっては「遠い昔になる半世紀」ではないかと思います。またその間に得られた観測隊員の精神的な成長や変化も理解していただきたいと思いました。それは豊かな日本社会で暮らす国民への一つの警鐘にもなるからと考えました。

伝えたいと思って伝えられなかったギャップが埋められるような情報を提供できる本が執筆したいと考えたのが本書です。短い文にこだわりましたので、あるいは系統的な説明にかけているところがあるかもしれません。ただ本書の全体を読んでいただければ、南極に関する自然像は伝わるようには配慮したつもりです。そこで暮らす観測隊員の生活や人間関係もまた日本国内と変わらないことがご理解いただけるのではないかと思います。

二〇二〇年は日本にとっても世界にとってもオリンピックイヤーで、楽しい年になるはずでした。ところがコロナウイルスの蔓延で、世界中が「何も悪いことをしていないのになぜこんな目に合うのだ」と思うほど、苦しい状態が続いています。現在このコロナ禍から逃れられている地球人は、南極大陸で越冬している各国の観測隊だけです。その人たちも、また南極大陸そのものも、一〇月頃からは本国との交流が始まる基地が出てきます。すると、南極も安全地帯とはなりません。二〇二〇年の南極観測のシーズン（一〇月頃から二〇二一年三月頃まで）各国の南極基地はこれまで経験しなかったいろいろなことが起こるでしょう。

本書でも強調してありますが、南極観測は地球上が平和な世界であるからなりたっています。しかしコロナ禍で平和だけでなく平穏、平安でなければならないことを思い知らされました。

南極に関する本は自然科学か冒険、探検の本が多いです。初めて「南極学」という言葉を使ったのは、南極観測が単なる自然現象の解明だけではないことに気が付いたからです。各国隊員一人一人の感情、それぞれの国の国民性、それらが総合して自然科学の解明に対処しているのです。私は神への祈りしかしなかったキリスト教徒が、南極では誰に強制されたのでもなく、おのずから大自然に手を合わせる姿を何回か目撃しました。

その姿から私は南極が科学と人間性との融合を創出していると感じ、自分自身をそのような目で見つめ直しました。その結果を第8章にまとめましたが、第7章の南極学にもなったのです。南極と云う自然環境は人間をも改造するのではないかと考えています。南極学にはそんな思考過程も必要です。

第1章　南極観測事始め

日本の南極観測は、一九五七年七月から実施された国際地球観測年の南極観測に参加することで始まりました。当時の南極は海岸線が明示された地形図もなく、未知の大陸でした。その大陸に国際協力で科学のメスを入れようとする計画が開始されたのです。その頃の日本は第二次世界大戦の敗戦から一〇年が経過し、一九五六年のサンフランシスコ平和条約によって国際社会に復帰したばかりの貧乏な国でしたが、その計画に参加を表明し、南極観測が始まったのです。

宗谷　ふじ　しらせ　しらせの　観測船

一九五五年、日本が研究者の国際組織である国際学術連合会議に南極観測への参加を表明して、準備に入ったとき、最大の問題は南極まで観測隊員や資材を運ぶ船をどうするかという事でした。外国の砕氷船を借りるという話も出たようですが、当時の学界をはじめ関係者の気持ちは、なるべく日本製の資材を使用しようという事でした。第二次世界大戦の敗戦から一〇年が過ぎ、日本国内の混乱は収まってはいましたが、国全体が貧乏で、主食の米も輸入している時代でした。

観測船は海上保安庁の所属で灯台補給船だった「宗谷」が選ばれました。宗谷は耐氷船として建造されているので、砕氷船への改造も可能で、南極の海氷にも耐えられるだろうとの判断があったのです。そして日本で初めての氷海航行ができるようになった砕氷船「宗谷」（四八六〇トン、四八〇〇馬力）が南極大陸の東経三五度付近のプリンスハラル海岸を目指したのです。

プリンスハラル海岸付近を中心に南極大陸の沿岸の一〇〇〇マイルの間は参加各国による基地建設の予定がなく観測の空白地域でしたので、そこでの観測調査が日本に託されたのでした。しかし、この付近の海域は一九三七年にノルウェーの探検船が外洋から水上飛行機を飛ばし、写真を撮り、その写真から主な地形に名前を付けたり、地形図を作ったりされていましたが、洋上からも、空からも人が陸上に足跡を印した例がなく、人跡未踏の地でした。また大陸周辺の海氷帯を突破した船もありませんでした。

そんな海氷が張り詰める未知の海域を宗谷は進み、昭和基地の建設に成功しました。日本の南極観測はＩＧＹのための臨時体制だったので、一九六二年の6次隊で昭和基地は閉鎖され、宗谷は砕氷船としての役目を終えたのです。

日本国内では南極観測に恒久体制が整えられ、輸送は防衛庁（当時）が担当することになりました。一九六五年一一月、南極観測が再開され、文部省（当時）の予算で新造され防衛庁に所属することになった砕氷船「ふじ」（八五七〇トン、一二〇〇〇馬力）が7次隊を乗せて東京港を出港しました。

一九六六年一月、昭和基地は再開されました。ふじの貨物搭載量は五〇〇トンと倍増しました。基地には新しい建物が次々に建設されていきました。毎年南極海で何百回と氷に船体をぶつけて砕氷を繰り返したふじの老朽化は激しく、一九八四年には新しい砕氷船が建造され、「しらせ」（一八九〇〇トン、三〇〇〇〇馬力）と命名されました。そのしらせも二〇一五年の役目を終え、二〇〇九年に出発した51次隊からは「二代目しらせ」が就航しています。

私はこの六〇年以上にわたる日本南極地域観測隊の歴史を次のように区分しています。

1. 宗谷の時代（1～6次隊）草創期
2. ふじの時代（7～24次隊）発展期
3. しらせの時代（25次隊～現在まで）充実期

２代目南極観測船「ふじ」

４代目南極観測船「２代目しらせ」（提供・極地研究所）

科学五輪　熱気で国中　湧きかえる

国際協力のもとで南極観測をする計画は国際学術連合会議が、一九五七年七月から一九五八年一二月まで計画していたＩＧＹの一環として、当時は満足な地形図もなく未知の大陸だった南極を知るために、各国が協力をして南極での調査や観測をしようと企画しました。一九五一年のサンフランシスコ平和条約の締結で国際社会に復帰していた日本は、ＩＧＹに赤道付近での観測を予定していました。しかし、アメリカがすでに同じような計画を推進していたので、日本の学術会議は南極観測に参加することにして、国際学術連合会議に申し出ました。

日本は第二次世界大戦の敗戦国であり、当時、南極観測に参加を表明していたのは戦勝国を含めて全てが白人の国々でした。アジアの小国、しかも有色人種の申し出を快く思わない国があったとしても仕方がない時代だったのでしょう。日本の参加に反対する国はありましたが結局は認められ、プリンスハラル海岸が基地建設候補地になりました。当時の日本の世相として、テレビ放送が始まったのが一九五三年二月ですから、それからわずか二年後のことです。

日本の南極観測への参加が決まると、まず朝日新聞社が一億円の寄付を申し出るとともに、全面協力を表明しました。当時大学卒のサラリーマンの初任給が一万円前後の時代でした。朝日新聞は1次隊には隊員の派遣とともに、飛行機も提供しました。当然各報道機関もそれに続きました。各メディアはこの国際的な南極観測を「科学オリンピック」と称して、書きたてました。

しかしながら、すべての世論が南極観測に賛成していたわけではありません。「宗谷の改装にほとんどの予算がとられ、観測や隊員の生活安全への配慮がない。危険でもあり成果も期待できないのだから、その予算を他に回すべきである」というような趣旨の新聞記事が出ました。また国会でも「日本は最初予定していなかった南極観測に、国内の観測より多くの予算を割いている。本末転倒ではないか」というような厳しい意見も出ていました。

しかし、メディアでは南極とはどんなところか、そこでどんな観測をするのかなど、いろいろなニュースが流されていました。しかし、当時の日本人で南極や北極の知識を持っている人はほとんどいませんでした。「オーロラの観測をする」と報じられても、オーロラを見た人はほとんどいません。オーロラ現象の解説は天文学者がしていました。現在ではオーロラは天文学の分野には入らないことが明らかですが、たぶん当時の知識としては上空の現象だからと天文学者が解説をしていたのでしょう。

専門家がいる、いないは別にして、アメリカ、イギリスなどの戦勝国に伍して、日本が地球の果てに観測隊を送ることは、国民にとっては明るいニュースでした。昭和一〇年代から続いた長い戦争と、その後の混乱から解き放たれ、科学オリンピックという心地よい響きが、人々の心を打ったのでした。

私はその後の日本の南極での活躍や同じ敗戦国であり科学先進国だったドイツやイタリアの参加が二〇年以上遅くなったことを考えたとき、南極観測への参加を決断した当時の学界をはじめそれを後押しした政官財界の先見の明には頭が下がります。

またインド、中国、韓国など、アジアの国々の参加も一九八〇年代になってでした。

観測へ　こづかい節約　義援金

南極観測は国家事業として計画されていましたが、その予算は十分でないことは明らかでした。ですから朝日新聞社は一億円の寄付を直ちに表明したのだと思います。実際南極の知識もほとんどない日本でしたから、そこで生活するためにはどんな建物を建て、どんな装備を準備すべきかも手探りの状態でした。したがってお金はいくらあっても足りないくらいだったのです。

朝日新聞社をはじめ各新聞社は紙上で観測隊への義援金の募集を始めました。現在、一般に呼びかけられる義援金と云えば、災害支援が多いと思います。しかし一九五五年（昭和三〇年）ごろの日本は、国中が貧乏でしたから、義援金の募集などは考えられなかった時代です。私の記憶では当時の募金としては一〇月の赤い羽根募金や年末の「社会鍋」のような募金があった程度です。

そんな時代背景の中で、新聞社には全国の児童・生徒たちをはじめ多くの人々から寄付が届けられました。児童たちは、クラスで話し合って決めたのか「南極観測義援金」へ「〇〇小学校六年三組二五〇円」というように報道されました。その報道が、また次の義援金を呼ぶという好循環があったようです。クラス単位、学校単位、あるいは会社や有志で自分たちのこづかいを節約して寄付をしたのです。当時の子供たちのこづかいはおそらく一日にすれば一〇円程度かあるいはもっと少なかったのではないかと思います。子供たちの寄付額は一人五円か一〇円でした。中学生、高校生でも多くても一〇〇円か二〇〇円程度だったでしょう。

その後、経済成長をした日本は、いろいろなことに募金事業が行われるようになりました。国民もそれにこたえることが多くなってきました。しかし、南極観測のような国家事業に国民がこぞって寄付をした例はあるのでしょうか。宇宙飛行士を宇宙に送り出すための募金はあったで

第１次日本南極地域観測隊、岸壁での出港式（撮影・唐鎌郁夫）

第１次隊宗谷出港風景。甲板で手をふる永田隊長（右から３人目）（撮影・唐鎌郁夫）

しょうか。がん撲滅の研究資金に国民一人一人が寄付をしたことがあったでしょうか。そんな例は聞いたことがありません。それだけ日本全国民の心に訴え、希望を新たにさせた計画だったのです。

海氷に　奇跡を起こした　宗谷の運

宗谷はシンガポール、ケープタウンに寄港し一九五七年一月、南極海を南下していました。そして五日に初めて氷山を視認しました。氷山は南極大陸の氷（南極氷床と呼ぶ）が海に押し出され、割れて流れ出したものです。大きな氷山になると長さ一〇〇キロ、幅三〇キロと岩手県の大きさにも匹敵する大きなものがあります。「氷山の一角」という言葉がありますが、氷の密度が〇・九だから、高さが一〇メートルの氷山は海面下にはおよそ九〇メートルの氷があると教えられた人も多いでしょう。しかし実際は氷山には無数の亀裂があり、比重は〇・六程度で、高さ一〇メートルの氷山の海面下の厚さは六〇メートル程度です。

流れ出した氷山は南極海で漂流を続けますが、長くても十数年で消滅します。割れて流れ出したばかりの氷山は巨大でテーブル型と呼ばれるように四角い形ですが、北の方に流れてくるまでに融けて小型になり、形も複雑になってきます。船が南下するにしたがい、見られる氷山も多くなってきます

氷山に続いて海氷が現れてきます。海氷とは海の氷が凍結したもので、浮氷とも呼ばれます。

浮氷は文字通り潮任せ、風任せで南極海を漂っています。海流や風によって浮氷が集まり帯状になったところを浮氷帯と呼びます。その浮氷帯がもっと押しつまり盛り上がったりしてくると密群氷帯と呼ばれるようになります。密群氷帯では氷同士が重なり合い凹凸の激しい海氷原が形成されます。

「宗谷氷山を初視認」、「浮氷現わる」、「浮氷帯突破」、「蜜群氷に苦戦」などの活字が連日新聞紙面をにぎわし、国民は一喜一憂しました。もちろんテレビ、ラジオでも連日報道されていましたが、テレビはまだ国民に十分にはいきわたっていない時代でした。

蜜群氷帯をようやく突破した宗谷は大陸沿岸から広がる定着氷に到着しました。近い陸地まで約二〇キロの距離です。この地点からは定着氷上を雪上車により資材輸送ができると判断して、その場所を輸送拠点と定めました。一九五六年一月二九日、オングル諸島の端の平坦地で上陸式が行われ、付近一帯を昭和基地と命名することが決まりました。暗くならない南極の夏、宗谷から基地建設の予定地（現在の東オングル島北端）への資材輸送は昼夜兼行で実施され、二月一四日には昭和基地で一一名が越冬することも決まりました。宗谷は越冬隊を残して一五日に停泊地を離れましたが、蜜群氷帯にビセット（氷海の中で動きがとれなくなること）されてしまいました。二月二八日、天候が好転し氷が緩み始めたところへ、政府が要請していたソ連（現ロシア）のオビ号が到着、宗谷はその後に続いて外洋に出ることができました。

その後の2次隊から6次隊までの五回の航海では、宗谷はどんなに頑張っても基地から七〇～

八〇キロの地点までしか近づけず、2次隊は越冬を断念しました。3次隊からは宗谷から基地への輸送方法はヘリコプター輸送を主とするように変更されました。

回を重ね昭和基地沖合の氷状が分かるにつけ、1次隊で昭和基地が建設できたことは奇跡的な出来事だったことが分かってきました。その奇跡を呼んだ最大の理由は宗谷という船の持つ宿命的な運の強さだったと思います。

宗谷はソ連からの注文で耐氷構造のある船として一九三八年に日本で建造されました。その後進水しても発注者に引き渡されることなく、日本の企業が使用し、世界大戦中は海軍に徴用され、輸送船として活躍していました。その時、何回かの魚雷攻撃を受けたのに大破することなく終戦を迎え、終戦直後は引き揚げ船として運航され、その後は海上保安庁の灯台補給船になったのです。このように宗谷の運の強さが不可能を可能にして、昭和基地の建設に至りました。

地の果てに　初めてあがった　日章旗

第1次日本南極地域観測隊が一九五七年一月二九日、オングル島（正確には現在の西オングル島昭和平）で竹竿を立て国旗を掲揚し、付近一帯を昭和基地と定めました。この国旗は南極地域の陸上に初めてひるがえった「日の丸」の旗でした。

一九一二年一月、白瀬矗が率いる日本南極探検隊はロス海を南下し、クジラ湾近くの小さな湾（のちに開南湾と命名）に停泊、氷の壁を乗り越えて大氷原に達し、根拠地を建設しました。そして二台のそりを三〇頭のカラフト犬に曳かせて南極点を目指し一月一九日に出発、六日間で三〇〇キロを踏破し、一月二八日、南緯八〇度〇五分、西経一五六度三七分を最南点として引き返しました。白瀬はその付近一帯を「大和雪原（ヤマトユキハラ）」と命名し、日本の領土にすると宣言しています。またその地点にブリキの日章旗を残しました。このブリキの日章旗は一九二九年に南極点へ初飛行したアメリカのバードが飛行機から確認しています。

しかし白瀬隊が踏破した大氷原は陸地ではなく、現在は「ロス棚氷」と呼ばれている、棚氷の上だったのです。棚氷は南極氷床が海に押し出され湾状の海岸線を埋め尽くしている氷塊です。ロス棚氷は薄くても二〇〇メートルぐらいの厚さがあり、面積もフランス本国とほぼ同じ五〇万平方キロもあるのです。

アメリカやニュージーランドとの共同研究で、マクマード基地やスコット基地に滞在していたとき、私もヘリコプター、雪上車、時にはスノーモービルや徒歩でこのロス棚氷の上を移動しましたが、海の上に居るという感覚は

1957年1月29日、第1次日本南極地域観測隊が上陸式を挙行し、「昭和基地」を宣言した西オングル島の昭和平。現在の基地建物は写真はるか左手（北側）に

持てませんでした。まったく陸上の雪原と変わりません。ただ陸上の雪原は時には盛り上がったり、斜面があったりとその雪表面には多少の変化がありますが、ロス棚氷は見渡す限り平坦でした。

白瀬は南極に来ながら岩石一個持ち帰れないことを悔やんでいます。彼らの持ち帰ったのはコウテイペンギンの胃袋から出てきた小石一個だけでした（この小石はその後東京大学の地質学教室で標本として保管されていると聞きました）。「陸地と思って上陸したらそこは海の上だった」ので、小石一個採れなくても仕方のないことでした。

白瀬が日本の領土と宣言した大和雪原も、サンフランシスコ平和条約で南極におけるすべての権限を放棄すると、時の政府が約束しています。大和雪原が海の上ではたとえ領有が認められても、実質的な利益がどの程度か評価はできません。しかし条約が結ばれた一九五一年当時の日本の政官界で、南極に興味・関心を示す人がどの程度いたのでしょうか。ほとんどいなかったのではないかと思います。

世界の仲間入りを果たした日本ですが、全国民にとって海外は遠い存在でした。そんな中で南極に日の丸の旗がひるがえったことは、多くの人が目の前が明るくなったと感じたのです。自分たちもやればできるという気持ちが、昭和基地の開設を歓喜の心で迎えたのでした。

国民の　熱気が創った　昭和基地

南極観測隊が国旗を掲揚して、昭和基地を宣言した場所は、現在は昭和平と命名され、西オングル島の北東端に位置しています。宗谷からの先発隊が目指したオングル島は、現在では東オングル島と西オングル島と名前が付けられた二つの島でした。その間の狭い海峡は中の瀬戸と名付けられています。

昭和平は平坦な土地で大池と名づけられた池もあり生活水も得やすく、居住には適していました。しかし、宗谷の停泊地点からはかなり遠いので、その手前の東オングル島の北側の現在は北の浦と名前がついている平坦地に、建物を建てることになりました。この地点ですと昭和平より二キロメートルほど輸送距離が短くなりました。

宗谷からオングル島への偵察はまず犬ぞり隊で始まりました。続いて雪上車隊が出発しました。定着氷は平らに見えてもパドルと呼ばれる隠れた水たまりが存在していました。南極の夏、沈まない太陽のエネルギーを受け、表面は凍っていてもその下の氷が融けて池のようになっているのです。表面の氷がガラス張りの温室のように作用し、池になった水はなかなか凍りません。中には池の底の氷が全部融けた底なしパドルも存在しています。そんな海氷原を雪上車隊は進みましたが、何度もパドルに落ち、ほかの雪上車に引っ張ってもらって脱出することが繰り返されました。そんな状況から、最初は島に到着するのに二〇時間を要しました。

しかし、走るに従い安全なルートが確保され、二時間ぐらいでオングル島に到着できるようになりました。そこで雪上車が資材を満載したそりを数台ひいて北の浦へ運ぶ昼夜兼行のピストン輸送が始まりました。基地の心臓部は発電機です。三〇〇キロほどある発電機を、富山県立山でガイドや強力（ゴウリキ）として活躍している屈強な山男四名の隊員が、そりからおろし、海岸から担ぎ上げ、運び、これ以上は無理というところに置きました。そこにテントで小屋掛けした発電棟が設置され、そこから二棟の建物が次々に建てられました。二月一一日には完成した無線棟から日本の銚子無線局に初めて電波が送られ、昭和基地は電波で日本と結ばれました。

二月一四日までには予定した越冬隊一一名分の食料が四年分、燃料はドラム缶二二〇本など合計一五〇トンを超える、資材が昭和基地に届いていました。この時点で昭和基地での越冬体制が整ったと判断されました。

越冬が決定しつつある中で、残りの隊員たちは最後の力を振り絞って、もう一棟の建物も建ててしまいました。この建物はその後G棟と呼ばれ、私も最初の越冬ではこの建物に住み、観測器械も設置しました。初めて越冬する仲間に少しでも楽をさせたい、広い空間を与えたいという1次隊仲間の熱い友情がそうさせたのです。宗谷は一一名を残して、翌一五日に定着氷縁を離れました。

観測隊の計画発表以来、応援を続けた国民の熱意が、五三名の観測隊員、七七名の宗谷乗組員に伝わり全員が一丸となって協力した成果が、最初の越冬隊成立となったのです。昭和基地は敗戦から復興を続けていた日本のシンボル的な存在と云っても過言ではありません。

条約で　領土侵犯　せずに済み

国際地球観測年で南極観測が始まり、基地を持つ各国は恒久的な観測体制をとり始めました。するとそこには当然、領土権をふくむ様々な国際的な政治問題が生じてきます。

例えば昭和基地はノルウェーが領土権を主張している地域に建設されています。ＩＧＹという、短い期間だから基地の建設は許されましたが、日本がその後も継続して昭和基地を維持すると、ノルウェーの領土を侵犯していることになります。また領土権を主張する国々が、自国の領土だからと、軍事基地を設けたり、核実験をはじめ新たな兵器の開発場にしたりしたら、未知の大陸はすぐ荒廃してしまうでしょう。

アメリカは南極の平和利用を目的とした条約を結ぶよう、南極観測に参加していた一一カ国に提唱しました。条約に関する討議が重ねられた結果、一九五九年一二月一日、南極条約が各国代表により署名されました。条約は各国政府の批准をうけて、一九六一年六月二三日に発効しました。その骨子は以下のようです。

1. 南極地域は平和的な目的のみに利用する。いかなる軍事的利用も認めない。
2. 国際地球観測年で実現した、科学調査の自由、そのための国際協力は継続する。
3. 科学調査の国際協力を推進するため、計画についての情報交換、科学者の交流、データの交換を推進する。

4．すべての領土権や領土請求権を条約の期間中は凍結する。
5．南極大陸における原水爆実験や核物質の廃棄を禁止する。
6．条約加盟国は自由に他国の基地を査察できる。

南極条約は一二カ国により締結されましたが、現在は五二カ国（二〇一七年）が加盟しています。締結の際は三〇年間の期限付きでしたが、期限が来ても異議を唱える国はなく、そのまま延長され、現在に至っています。

日本もノルウェーも南極条約の原署名国です。日本が条約を遵守する限り、ノルウェーは昭和基地の存在を認めています。南極条約があるから日本はノルウェーの領土を侵犯することなく、昭和基地を維持できるのです。

南極は　ビザなし渡航の　パラダイス

南極条約が発効前には、南極で島の領有をめぐって銃火を使った争いもありました。しかし、現在は南極観測に参加しているすべての国が南極条約に加盟しています。互いに条約を守っている限り、南極内での活動は自由です。

どの国の研究者との交流も、データの交換も自由です。どこの国の基地へ行くにも、その国のビザはいりませんし、自由に基地内の施設も見学させてくれます。科学観測にもっとも必要な平和と国際協力は南極観測では立派に実現しています。

私も一〇カ国以上の国の基地を訪れていますが、どの基地に行くにも「明日行くよ」というような簡単な挨拶だけで、訪れることができます。基地によっては、近くまで来たから寄ったと突然訪れたこともあります。そんな時も温かく迎えてもらいました。ビザが無くても自由にどの国の基地へも行ける南極を私は「政治的パラダイス」と呼んでいます。

南極に行くたびに感じるのは世界平和の有難さです。大戦中の悲惨な状態を知っている私にとっては、現在の社会もまたパラダイスと呼べるかもしれませんが、国内情勢、国際情勢を考えると、必ずしもそうは呼べないでしょう。

しかし、少なくとも現在、どの国の南極観測船も原子力潜水艦の魚雷に狙われる心配はなく、南極まで到達できます。私はその事実一つとっても平和の有難さを痛感するのです。各国が南極条約を守る限り、南極はいわば国際社会の理想郷と云えるでしょう。この理想郷を地球全体に拡大することが、南極を知る者に与えられた大きな役割の一つだと思います。

君のような　人が出てきて　嬉しいよ

これは一九七〇年ごろに、ＮＨＫのラジオ番組で、1次隊の越冬隊長を務めた西堀榮三郎と対談した時、別れ際に云われた言葉です。番組では1次隊の苦労話やエピソードを聞きながら、ふじの時代に入った当時の昭和基地や南極の様子を語り合いました。日本の南極観測もようやく一〇年の経験を積んだころのことでした。

大先輩からのありがたい言葉に、若造の私が感激したのは、もちろんです。しかしその言葉の裏にある意味に、改めて身が引き締まったことを覚えています。

日本の南極観測のパイオニアの一人として、西堀の果たした役割は枚挙にいとまはありません。とにかく日本では南極、あるいは極地に関する知識や関心を持つ人は皆無の時代でしたので、西堀の気持ちとしてはひとりでも多くの極地の専門家が育つことを望んでいたと思います。そうすることが日本の国益になり、財産になるからです。

私との対談から日本にも極地を理解する若者が育ってきたと、感じられたのでしょう。

その後、国立極地研究所も発足し、日本の極地研究の中枢になるとともに、極地情報の収集機関の役割も果たしています。現在では南極ばかりでなく、北極研究も進んでおり、西堀に託された夢の実現は少しずつでも進んでいるとは思います。しかし、日本の極地研究の現状は必ずしも楽観視できず、前途は多難で、現役の人たちの奮起を期待しています。

第２章　昭和基地

南極に関する知識も経験もほとんどなかった日本ですが、第一年目の一九五七年に昭和基地を建設することに成功しました。途中四年間の閉鎖された期間はありましたが、今日まで六〇年以上にわたり基地は維持され、観測が継続されてきました。地球の果ての小さな集落から始まった昭和基地は、建設から六〇年以上が経過し、現在では南極の重要な科学基地として、未知の大陸に関する情報を収集し続けています。

天測点　地図の原点　まず決める

国際協力で南極観測を実施した目的の一つが、正確な南極大陸の地形図作りでした。当時の南極大陸の地形図では海岸線がほとんど点線で表示されていました。日本には東経三〇度から四五度の海岸線に沿って二〇万分の一の地形図作成が要請されました。日本隊にとってはまず基地が作られたオングル島の地形図の作製も急務です。１次隊は基地建設場所が決定するとすぐに、その地形図の基準点となる測量が、基地の建物群の南側の丘の上で行われました。その点は測定以来、天測点と呼ばれています。

天測点では天文測量からその位置は南緯六九度〇〇分、東経三九度三五分と測定され、簡易水準測量から標高二九メートルと決めました。そしてこの位置を基準点として三角測量

日本南極地域観測隊の地形図作成の測地基準点となる天測点にある金属標（No.1がまぶしい）

を繰り返し、まず東オングル島の縮尺五〇〇〇分の一の地形図が作成されました。この測量の途中でノルウェーが名付けたオングル島という大きな島は二つの島であることが分かり、東オングル島、西オングル島としました。続いて西オングル島、オングルカルベン島などの地形図が作成されていきました。

南極での地形図作製も、日本国内と同じように国土地理院が担当しています。毎年何人かの職員が観測隊員として南極に派遣され、時には越冬もして測量がなされています。海岸線に沿った二〇万分の一の地形図も完成し、南極大陸の沿岸から内陸にかけて、岩石が露出ている地域では、ことごとく二万五〇〇〇分の一の地形図が作られています。今日では昭和基地付近は南極で地形図がもっとも充実している地域の一つになっています。

現在は地形図作成ばかりでなく、いろいろな位置決めにGPSが使われています。GPSは全地球測位システムと呼ばれ、複数の人工衛星からの信号を受信して、その場所の緯度経度や高さが瞬時に分かるようになっています。このシステムは二〇世紀の終わりごろから実用的に普及してきました。したがってそのはるか前の昭和基地が開設されたころの位置決め、つまり地形図を作るためには天文測量や三角測量、水準測量などの測量を組み合わせていました。これらの測量には長い時間と多くの労力が必要でした。特に南極では短い夏の間しか測量作業ができませんから大変でした。

現在日本ではGPSは「カーナビ」という名で一般的にも普及していますし、登山やトレッキングなどのレジャーにも使われています。このシステムはより進歩を続け、手軽に使え、しかも測量よりもはるかに高い精度が得られています。

トビひとり　すべての建物　素人で

南極に建てる建物はどんなものが良いのか、日本では知識がありませんでした。関係者がいろいろ検討を重ねて、マイナス四五℃、風速六〇メートル以上、積雪二メートルの気象条件でも安全が確保され、室内も一五℃には保たれ、酸欠の心配のない建物が作られ、1次隊によって南極に持ち込まれました。しかも現地では低温でコンクリートが使えないことを前提に、基礎工事もできないことから、平坦な土地の上に鉄製の土台を並べ、その上に木製のパネルを立て、金属のコネクターで結合するだけの建物でした。

隊でただ一人の建築の責任者であるトビ職の人が、建物を建てる場所を決め、その指示で建築には素人の隊員たちが金属製の土台を並べ、床パネル、壁パネル、屋根パネルを順次組み立てていけば建物は完成します。そしてベニヤ板で仕切って個室を作り、電気の専門家が室内配線をし、機械の専門家が暖房器具などを設置するという手順です。

一九五七年の1次隊では隊員五三名、宗谷乗組員七七名が、隊長、船長を含めての全人数です。宗谷乗組員の任務は観測隊員と資材を南極まで無事送り届ける輸送です。しかし、観測隊は宗谷から基地建設予定地までの資材輸送と基地建設の作業に対し、人数が絶対的に足りません。基地の建設にはどうしても宗谷側の協力が必要でした。そんな状況の中で1次隊では一週間程度の短い間に、四棟の建物を人力で建て、越冬を可能にしました。この時の建物の総面積は一七八平方メートルでした。

火災が発生した場合を考慮して、各建物はそれぞれ一〇メートルぐらいの間隔で建てられました。またそれぞれの建物は扉を開けるとすぐ部屋が広がっていますので、吹雪の時などはあっという間に外の冷気が部屋に入ってきてしまいます。そこでそれぞれの建物には前室と呼ばれる空間を作り、さらに各前室をつなぐ通路も作りました。これらの作業は宗谷が去り越冬が始まってから、建築に素人の一一名の越冬隊員が冬ごもりの準備として行いました。建物同士をつなぐ通路は運ばれてきた資材の空き箱を積み重ね、その間に屋根となるベニヤ板を並べるというような手造りでした。

このような通路が完成して、建物から建物への移動も、外気に触れることなくできるようになりました。とはいえ通路の温度は外気とほぼ同じですから建物を一歩出れば、南極の寒さが身にしみます。しかし、風がさえぎられますので、通路の中は楽に歩けるのです。

建物や通路が完成しても、油断ができませんでした。木製パネルの壁の継ぎ目に、ほんのちょっとした隙間があれば、ブリザードの時に、そこから雪が吹き込み瞬く間に雪の小山ができてしまいます。そんなことが分かってきたので、ふじの時代になって建物を新築するときはコーキングと云って、パネルの隙間に充填剤を詰め込みました。この作業は握力がいるので、建築作業の中では特に大変でした。

宗谷の時代には4次隊で、パネルの建物一棟が追加され、居住スペースが増えたほか、建物の壁を利用しての小屋づくりをして、それぞれの研究の活動の場を設けました。また五〇平方メートルの冷凍庫も設置されました。日本の南極観測隊は最初は南極だから冷凍庫は不要と考えていました。ところが冷凍食品はマイナス二〇℃程度に保たれて、初めて鮮度が保証されるのです。南極とはいえ昭和基地でも夏には気温はプラスになりますから、やはり冷凍庫が必要と分かり用意されたのです。

俺は医者　何で労働させるのか

これは宗谷時代の隊員から直接聞いた話です。

昭和基地に到着してから連日基地建設の作業に従事していた医師（医療隊員）が、あまりにも続く野外作業に業をにやして発した言葉のようです。

背景を理解しやすくするために、観測隊の構成を説明します。観測隊は宗谷時代から還暦を迎えた現在まで、夏隊と越冬隊に分けられます。越冬隊の人数は十数人からスタートしましたが、現在は三〇名ぐらいです。残りは夏隊です。夏隊が日本を離れている期間、日本は冬ですが、南半球に位置する南極は、日本とは逆にクリスマスから正月の季節は夏です。したがってその期間南極で仕事をして、越冬せず帰る人たちは便宜的に夏隊と呼ばれ、そう呼ぶ習慣が現在でも続いています。

夏隊は越冬隊を残し、帰国しますから日本を離れる期間は一一月から四月までのおよそ四カ月半で、その間が南極出張になります。ふじの時代までは夏隊は日本を出発し、帰国するまですべて船でしたが、しらせの時代になると、観測隊はオーストラリアまで飛行機で行き、帰路もオーストラリアから飛行機で帰りますので、出張期間は四か月ぐらいに減りました。

現在ではしらせに乗船せず、南アフリカから飛行機で、南極の目的地域に到着し、調査後、そのまま飛行機で帰国するグループもいます。また別の船でしらせの調査に合わせて南極海で観測調査をして帰国するという、越冬隊と同行して昭和基地を訪れる夏隊とはまったく別行動の夏隊の人たちもいます。

越冬隊は一年間南極で過ごしますから、出張期間は一年四カ月です。越冬隊に対して夏隊は「日帰り」と俗称されてもいます。南極で夏期間だけを過ごすのですから「明るい間南極に居て暗くなると日本に戻る人たち」でもあるのです。越冬隊と夏隊を比べると、やはり越冬隊は夏隊よりはるかに覚悟がいります。夏隊は自分自身が家族と離れて過ごす正月は一回ですが、越冬隊は続けて二回の正月を南極で過ごすのです。家族にとっても寂しいことです。

観測隊の任務は大きく観測と設営に分かれます。観測とは文字通り南極で各観測や調査をする任務で行く人たちです。大学や研究機関からの人が多いです。気象や地震のように年間を通じて必要な観測をする人、オーロラのように南極特有の現象であり、しかも暗い季節に見られる現象を研究対象にする人たちは越冬の観測担当、夏の間に見られるペンギンやコケの研究者、地形図作りの測量をする人などは夏隊で仕事ができます。

設営は観測を支え、昭和基地を維持する人たちです。機械担当と一口に呼ばれる人たちも発電機、電気の配線、雪上車、各種車輌、ブルドーザーのような重機、基地内の水道設備などいろいろな分野の人が含まれますから、少なくても四〜五名の人が越冬します。通信も重要です。今は電話で話ができる時代になりましたが、宗谷からふじの時代には家族との通信は電報だけでした。無線でのやり取りが日本と情報交換の大動脈で、複数の無線技士が必ず越冬しました。通信機器の保守はいつの時代も重要な任務であることは変わりありません。設営一般という呼び方がありますが、この職種は全ての雑用、云い換えれば専門家のいない分野は全て引き受ける人たちです。隊の庶務的な仕事から、調査旅行の装備品の管理まで多種多様な仕事をこなします。

調理も設営に属します。調理担当の隊員は一年間のすべての食事に関し責任があり、それ相応の準備をして、出かけます。そして医者です。人間のいる所、医者が居なければ困ります。居なければ困りますが、医師としての仕事が多いという事は、それだけ病人やけが人が多いので、観測隊としてはもっと困るのです。

医者が医療の仕事がないのはある意味では良い事なのですが、日本に居れば診察だけ、デスクワーク的な仕事が多い医者が、毎日、毎日寒風の中で肉体労働に従事しなければならない状況も好ましい事ではありません。25次隊からのしらせの時代になってこの状況はかなり改善されたと

第８次隊の真冬の昭和基地。南側から北を望む

思います。

学者　医者　ジャーナリストも　労働者

一九六六年、７次隊からのふじの時代になっても、建築作業がほとんど素人集団で行われることに変わりがありませんでした。観測隊員は四〇名程度で、そのうち夏隊が十数名の構成でした。しかもふじの時代になって昭和基地は建設ラッシュの時代を迎えました。

昭和基地は恒久体制の基地へと、衣替えが始まりました。まず発電棟や食堂棟が建てられ、続いて観測や居住のための建物も立てられていきました。

ふじが到着してからは基地での屋外作業が大変でした。このころの観測隊の大方針はまず越冬に必要な物資の搬入、そして建物の建設でした。夏隊員の研究調査は、それらの作業が一段落してからというのが暗黙の了解でした。

この輸送、建設の時期には人手がいくらあっても足りません。当然のこととしてふじ乗組員、つまり本来は輸送支援が目的の自衛隊に建設など、基地の整備に関する協力を得ていました。

観測隊員には毎年数名の記者とカメラマンが同行します。彼らは同行記者と呼ばれていますが、所属する新聞社、テレビ局、ラジオ局に関係なくどんどん記事を書き、写真を送って、昭和基地や、南極観測隊の活動を日本国内に報じてくれています。ですから、普段はデスクワークの学者や医者が歯を食いしばって重い荷物を担ぐ姿を、報じるのが役目です。しかし、輸送や建設の忙しい時には、そんなことは云っていられません。記者たちも労働者の一人として、荷運びや建設にも加わらざるを得ない時代でした。

西側から見たふじ時代の昭和基地の中心部

　この昭和基地の発展期を迎えるとき、国内で議論されたのが職住同じか、分離かという事でした。宗谷の時代はもちろん、ふじの時代になっても職住同じ建物でした。私が8次隊で初めて越冬した時は、居住するG棟の中に、地震の記録器やオーロラ観測用の全天カメラが設置されていました。個室の入り口は扉ではなくカーテンで仕切られていましたが、そのカーテンを開ければすぐ目の前には地震関係の器械が並んでいました。便利なことは便利ですが、一日中何かに追われているような気持ちになったのも事実です。

便利だからとこのような職住同居を主張する人もいましたが、基地全体の構造としては、居住区域と観測区域は区別すべきという方針で、基地の建設がなされていきました。気象観測用の気象棟、オーロラをはじめとする超高層物理学を研究する観測棟、地球科学研究者が使う地学棟などです。

二つの居住棟も作られました。越冬隊員は居住棟にそれぞれの個室をもらい、それぞれの職場、調理担当のシェフは食堂へ、電気担当者は発電棟へ、機械担当者は車庫へ、観測の人たちはそれぞれの棟へ通勤して仕事をするという形式ができるようになりました。自分の部屋から職場へ、それぞれの通勤距離は短いですが、日本での働き方と同じになってきたのです。

管理棟　変な名前に　違和感を

昭和基地には「管理棟」と呼ばれる建物があります。どうも南極の基地に在る建物としてこんな名称はふさわしくないと思うのですが、これが文部科学省の役人の感覚なのでしょう。予算を獲得するときに、財務省の役人への説明もしやすい名称なのかもしれません。

発展期のふじの時代から取り入れられたのが高床式です。地面に建物を直接建てると、建物の風下側にドリフトと呼ばれる雪の吹き溜まりができ、年間を通すと山のようになり次の夏になっても融けないで、苦労していました。ドリフトを避けるためふじの時代の建物はほとんど高床式、いわば正倉院のような形になりました。

高床式にするためには土台がしっかりしていなければなりませんので、コンクリートが使われるようになりました。低温でコンクリートがどのようになるか心配されましたが、コンクリートで土台を作りその上に鉄材を置いて木製パネルで建物を建てました。地面と床の間には二メートル近い空間ができ、吹雪でもドリフトはつきにくくなりました。同時に、クレーン車、ブルドー

昭和基地の中枢部・管理棟

昭和基地。管理棟内にある温倶留中央病院

管理棟内の食堂。一度に32名が座れる

北側から見た現在の昭和基地の中心部。建物が大型化し、全体にコンパクトになっている

ザーなどの大型重機やコンクリートミキサーなども使えるようになっていきました。

25次隊からしらせの時代に入り、基地の中の整理が始まり、再開発の充実期を迎えました。まず宗谷時代の建物は次々に撤去され、廃棄された物はすべて日本に持ち帰るようになりました。ふじの時代の建物の居住棟も撤去され新しい居住棟が建設され、昭和基地の居住環境は大きく変わりました。その象徴的な建物が管理棟です。

高床式三階建てですが、中央に吹き抜けのように設けられた階段は四階まで続き、その上にはドームが設けられました。直径五・五メートル、高さ二メートルのドームからは三六〇度全方向が見られます。高床の上は階段を中心に十文字形に四部屋があり倉庫や汚水槽などが並び、二階は十文字の凹んだ部分にも部屋を作って変形八角形で、医療関係の設備が半分以上を占め、残りの三分の一に娯楽室やスタンドバー、トイレがあります。

三階は変形八角形の二階部分を四角形にして、さらに各面に三・五メートルほどの出っ張った部屋を設けてあります。隊長室と通信室、さらに書庫や印刷室、公衆電話室などがならび、基地の中枢機能が四割を占めています。そして残りのスペースには厨房、食品庫、三二名が座れる食堂に小さなサロンが並んでいます。四階は何もない空間ですが、ドームを通して周辺の風景やオーロラが眺められます。単なる展望室ではなく常に外の状況が分かるようになっているのです。

総床面積は七二二平方メートルと基地最大の建物です。私はこの設計図を見たとき南極にあるどの国の基地にもない斬新なデザインだと思いました。積雪期になれば他の惑星から飛来した物体に見えるかもしれないなどと、妄想していました。しかし反面明らかに南極向きではない建物であることもすぐ気付きました。あまりにも建物全体が凸凹していて、外気に触れる面積が広すぎるので、熱の発散が大きく暖房が大変と思えたからです。建築から四半世紀が過ぎ、特に異論も聞こえてきません。三階建てだから案外熱効率が良いのかもしれませんが、私はその名称とともに気になっている建物です。

開設から六〇年を越え、現在の昭和基地の総建物数は約七〇棟、床面積は七五〇〇平方メートルにもなります。

昭和基地　できないものは　作り出せ

これは宗谷時代に昭和基地内で云われ続けた言葉です。十分な準備はしてはいても、いざ越冬に入ると、足りないもの、あった方が良い物が次々に出てきます。そういう場合には、自分たちでその品物を作り出してしまったことを表しています。

私は物を作ることはどんなものでも苦手な人間でした。一九六七年8次隊で越冬を始めて周囲の人を見ていると、それぞれが得意の技術を生かし、創意工夫で不便不足を乗り越えていました。洗面所の付近には全員の分の棚が用意され、それぞれの洗面具や歯ブラシが置かれるようになりました。大工さんは越冬していませんが、木工の好きな人が基地に在る木材を利用して作ったものです。個室内で棚を作りたい、本立てを作りたいと頼むと即座にやってくれました。観測関係でも、木工細工ばかりでなく、金属加工も気軽に引き受けてくれました。私はただただ自分の無能を嘆き、彼らのその腕前と好意に感謝するのみでした。

ふじの時代になっても不足している物、あった方が便利なものはたくさんありましたが、越冬を始めたばかりの宗谷の時代は、準備されたものは最低限の物だけだったでしょう。だから自分たちで作り出さねばならないものは沢山あったでしょうから、標記のように語られていたのでした。

話は飛びますが、「南極ベビー」と呼ばれる赤ちゃんがいます。南極で生まれた赤ちゃんを指しますが、これはアルゼンチン隊とチリ隊だけの話です。両国とも南極半島を中心に領土権を主張している国です。その背景としてアルゼンチンはマランビオ基地に、チリはフレイ基地に一〇家族程度が居住しています。子供のための幼稚園や小学校があり、銀行も郵便局もスーパーマーケットもあります。それぞれの家族の夫たちはほとんど軍人で、基地で働いています。ですから小学校の先生も、先生として南極で勤務しているのです。スーパーマーケットでは日常の必要品は基本的に自由に買うことができます。店になければ注文すれば多少の時間はかかりますが、本国から取り寄せてくれます。ですから昭和基地のふじの時代ごろから、フレイ基地の住人は原則的には不足する品物はないのです。

それでは「南極ベビー」はいったいどういう存在なのか。「南極ベビー」とは南極で生まれた赤ちゃんです。南極で、家族が居住し、子供も生まれているのだから、その地は自国の領土だと「南極ベビー」の存在によって暗に主張しているのです。もちろん両国とも南極条約に加盟していますから、表面的には問題になっていませんが、裏ではいろいろ駆け引きがあるようです。事情が替わると同じ南極の基地でも、様子が異なります。

1次隊　苦労偲ばす　石室の跡

日本が南極観測に参加したころ議論されたのは、「観測か探検か」という事です。未知の地域に行くわけですから、当然そこには探検的要素が入りますが危険を犯す可能性の高い冒険とは異なります。しかし、当時の官界は探検と冒険の区別がどの程度理解していたか分かりませんが、

「国家事業では探検のような危険なことは許されない」というタテマエ論が通っていました。観測隊長の永田武は立場上このタテマエ論を受けざるを得ず、1次隊はあくまでも予備観測であり、十分な資材が運ばれ、隊員の安全が確保される見通しが立った場合のみ、越冬するとしていました。

これに対して、副隊長の西堀榮三郎をはじめとする、観測隊の設営を担当する隊員たちばかりなく、観測担当の隊員たちも登山経験の多い人たちが含まれていました。彼らは当然未知の世界だから南極観測には探検的要素が含まれると、考えていました。したがって、予備観測で越冬してこそ、本観測も成功するのだと主張していました。タテマエ論の永田隊長と西堀副隊長をはじめとするホンネを主張する人々の間にはいろいろなやり取りがあったようです。

後年、極地研究所が発足後、私は所長の永田の下で働きましたが、その洞察力はすごい人でした。永田は全てを飲み込みながらタテマエ論を維持し、最後に隊長の判断として越冬隊成立を日本（当時の文部省南極地域観測統合推進本部・本部長は文部大臣）に具申したのです。そして1次越冬隊が成立しました。

1次越冬隊一一名が寝食可能な設備や資材が整ったとはいえ、未知のことばかりです。越冬を始めて冬ごもりの体制を作る中で、基地の建物が火災になった場合の避難小屋として、石室が造られました。基地の建物群から数十メートル離れた天測点の南東側斜面です。天測点の丘が風よけの役目を果たし、確かに良い場所を選んでいました。そこに長さ五メートル、幅二メートル、高さ一メートルほどに石を積み、避難用の装備や食料を置き、テントで屋根掛けできるようにしたものです。

現在の昭和基地は管理棟や居住棟が並んでいる地域がたとえ焼失しても、夏宿舎と呼ばれている建物が、数百メートル離れた場所に建てられていますから、このような石室生活にはなりません。しかし1次隊ではそれだけの覚悟で越冬を決意したのです。IGYの本番で越冬できなかった事を考えると、1次隊での越冬はまさに快挙でした。この時予備観測のタテマエ論に従っていれば、日本の南極観測は他国に大きな後れを取ったでしょう。

1次隊ではカブースと呼ばれる木製のそり付き小屋でオーロラの観測をしていました。そりが付いていますから、雪上車で必要な場所へどこへでも引っ張って行けます。そのカブースで火災が起き、観測資料が焼失するという事故が起こりましたが、石室を使うような事態は起こりませんでした。

冷凍庫　食生活が　大変化

南極で冷凍食品を保存するためには、やはり冷凍庫が必要なことは1次隊で理解されたようですが、その冷凍庫が昭和基地に運ばれ、使えるようになったのは、前にも書いた通り4次隊からでした。

したがって、1次隊はもちろん3次隊でも食生活は大変でした。肉や魚の冷凍食品がありませんから、缶詰や乾物類が主な副食になります。1次隊では「コンビーフのすき焼き」が出たと語り継がれていました。

4次隊、5次隊は冷凍食品を通年食べられましたから、食生活はずいぶん改善されました。ところがふじの時代になった7次隊では、冷凍庫が故障し、肉類が酸化してしまい、また厳しい食生活になりました。私には忘れられない思い出があります。

8次隊の一員として、ふじから昭和基地への空輸が始まった初日の一九六七年一月四日に、私も昭和基地に入りました。第一夜はテントで寝ましたが、数日後からは当時のヘリポート脇に新しく建てられた管制棟で寝起きしました。そして到着した日の夕食は基地の食堂で7次隊の調理担当者が用意してくれました。人数が多いのでまず7次隊の人たちが食べ、その後、8次隊の人が食べることになりました。私は打ち合わせもあったので最初から食堂に居ました。

メニューは炒めたベーコン二枚、みそ汁、漬物、缶詰の白桃に刻みキャベツと生卵でした。キャベツと生卵は8次隊が7次隊のために運んだ一年ぶりの生鮮食品でした。夕食としてはこの食事は誰にとっても粗末なものです。ところが7次隊の人たちは丼に山盛りのご飯、それに生卵をかけ、キャベツをバリバリ食べるのです。しかもお替りする人が普通なのに驚きました。副食が少ない分、主食で栄養を取っていたのでしょう。

私は日本を出る前から、食事には決して不満を云わないと覚悟を決めていましたが、7次隊の食事の様子を見て、昭和基地の食生活は相当に厳しいのだと再度覚悟を新たにしました。そしていつ自分がこのような粗食に類するものを、美味と感じるようになるかを客観的に観察しようと思いました。

8次隊では新しい冷凍庫も作られ、新旧とも順調に稼働し、豊富な食材と調理担当者の努力で快適な食生活を送れました。全員が通勤時間がほぼゼロですから、運動不足気味と高カロリーの食事で、太ってしまう人が多かったのです。

第８次隊で建設された食堂棟（管理棟が出来た32次隊まで使われた）

家よりも　はるか豪華と　囲む食卓

ふじの時代になり日本からの航路もオーストラリア経由となりました。往路では越冬隊はオーストラリアで最後の生鮮食品を購入します。牛肉（オージービーフ）やラムなどが大量に準備されます。そして調理は専門のシェフです。専門家が吟味し原材料を購入し、専門家が調理してくれる料理です。みんな食が進みます。日本で独身の人はもちろん、家庭がある隊員たちにとっても豪華な食生活になっていました。特に独身の人たちは越冬によっておいしいものの味を覚えたのではないでしょうか。

一九七〇年代の事だったと思います。昭和基地の食生活

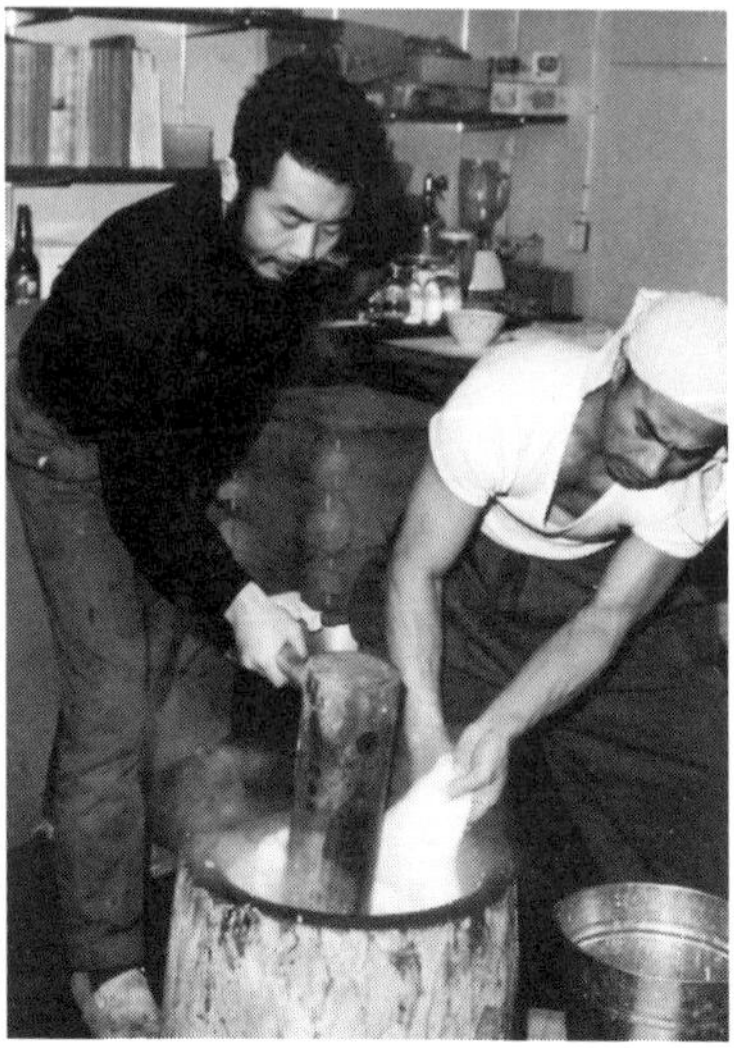

隊によって異なりますが、私が越冬した隊はよく餅つきをしました。内陸調査旅行の朝食は雑煮でした

を聞いた文部省（当時）の役人が、昭和基地ではステーキが毎日食べられますと初めての隊員に説明していました。確かにそのころは、日本国内の牛肉の値段はかなり高価でした。

越冬隊員には一人当たり決まった額の食卓費が用意されています。これは個人には渡されずに隊でまとめて管理し、酒、煙草などの嗜好品を含めて、調理担当者がすべてを用意します。原材料を購入し、専門家が調理するのですから、おいしく、楽しい食生活になるのです。ただ一人当たりの食卓費の予算は増えず、消費税の分だけ購入が少なくなるのが最近の担当者の悩みのようです。

しらせの時代に入ると輸送にも余裕が出てきて、持参する食品数も増え、調理担当者たちの毎日のメニューやパーティでの料理の計画にも力が入ります。普通には日本でもなかなか食べられない食材が用意されます。三六五日同じものは出さないと豪語する担当者もいました。

また隊員は日本全国から集まります。時には出身地の料理が話題になり、自分で調理してみせたり、頼んだりと、居ながらにして全国各地の名産や名物料理の知識が増えていきます。

8次隊で私が覚えたのはフィレステーキでした。それまでは牛肉の厚みのある一切れを焼いたものがステーキとしか知りませんでしたが、こんな柔らかい肉があるのだと初めて認識しました。この時のシェフのフィレステーキのほとんどはベーコンを巻いてあり、一人二切ずつに供されていました。日本で自分がフィレステーキを食べるようになり気が付いたのは、その値段でした。昭和基地で供されていたのは日本では八〇グラムぐらいの大きさですが、その値段の高いこと、しかも昭和基地と同じように満足するには二切れ食べなければなりませんでした。高齢になりようやく八〇グラムのフィレステーキ一枚でも満足を得られるようになりましたが、越冬の楽しい思い出の一つです。

なかには味覚音痴なのかどうか、満腹になればそれでよしと食事には関心を示さない人もいます。しかし帰国した多くの独身者にとっては、昭和基地での食事はおいしい物の味を覚え、いろいろな料理の知識を得た良い機会だったことは間違いありません。

隊員の　安全見守る　福島ケルン

日本南極地域観測隊の六〇年の歴史の中で、ただ一人日本の地に戻って来られなかった犠牲者が出ています。事故は一九六〇年一〇月一〇日に起きました。ブリザードが続く日々でしたが、風がやや弱くなったので、基地の建物から二〇〇メートルほど離れた海氷上につながれていた子犬たちに餌をやるとともに、大陸旅行の準備を整えて海氷上に置いてあるそりを点検するために、

昭和基地の福島ケルン（南極史跡）

担当者が基地の外に出てゆくことになりました。ブリザード時の単独行動は禁止されています、たまたま手の空いていた宇宙線観測担当の福島紳が協力することになり、二人が屋外に出ました。最初は一〇メートルほどの視界がありましたが、その後急速に悪化し、三メートルほどになり、風上に向かっては全く視界がゼロの状況になってしまいました。

二人は基地へ戻らなければと基地の建物のある方向を目指して歩き始めました。海氷上から陸地に上がり、露岩の上に達しましたが、その場所がどこなのかは分かりませんでした。二人は離れ離れになり、一人だけがかろうじて基地の建物にたどり着き、福島の遭難を知らせました。

基地からは二人一組の捜索隊が次々に出発しました。捜索隊はめぼしい地点には次々にロープを張り、基地へのルートを確保していましたが、二組は基地に戻ることができずビバークしました。一一日の午後には視界が回復し、基地周辺から海氷上へと捜索の範囲を拡大しました。

また、たまたまこの時、ルイ・ボードワン基地から昭和基地に七日に小型機で飛来して海氷上にテントを張ってベルギー隊が滞在していました。彼らはブリザードで予定通りに帰ることができないでいました。彼らは乗ってきたセスナ機を使い、低空飛行で周囲一帯を空からも捜索をしました。あちこちにできた雪の吹き溜まりや海岸線に沿って潮汐の干満でできるタイドクラックなどを注意深く探しました。しかし福島を発見することはできませんでした。そしてついに現地時間の一〇月一七日一四時に死亡と判断されました。

4次隊は一八日以降も、仕事の合間を見てはそれぞれが遺体の捜索を行いました。帰国前にも全員で東オングル島、西オングル島の捜索を行いましたが、ついに遺体の発見に至らず、5次隊に引き継ぎ帰国せざるを得ませんでした。

福島の姿が最後に目撃された露岩は、当時でも基地の建物からわずか一〇〇メートル足らずの所でした。4次隊はそこへ追悼のためのケルンを作りました。5次隊ではそのケルンへ当時の日本学術会議会長の茅誠司による「福島紳君ここに眠る」の墓碑板が埋め込まれました。

ふじの時代に南極観測が再開されてからも、現在まで一〇月一七日を命日として、ケルンの前で毎年慰霊祭を行っています。それとともに、隊員への安全教育の場でもあり、同じ事故を繰り返さない誓いの場となっています。福島ケルンは現在では南極史跡となっており、拡大した昭和基地では、ケルンのすぐそばにも建物が建てられています。

昭和基地の建物群から西へ4キロメートル。西オングル島の遺体発見現場近くにある福島ケルン（荼毘に付した場所）

また俺を　置いて行くのか　と腕を曳き

一九六八年二月九日、私たち8次隊の隊員は帰国に備えふじに戻っていました。夕食を終えた頃だったと思います。「福島さんの遺体が発見された」というニュースが船内を駆け巡りました。帰国を目前にした9次隊の人たちが、越冬隊の人の地質調査を兼ねて西オングル島に遠足に行って、遺体を発見したのです。

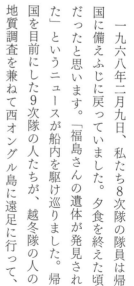

基地の建物から西に四キロメートルほどの距離です。天気の良い日に海氷上を直接歩いたとしても二時間ぐらいはかかる場所です。ブリザードの中、陸地の上をさまよったのか、海氷上を歩いたのか、その時の気持ちを想像すると、胸が締め付けられます。

9次隊の人たちは「人がいる」「馬鹿を言うな、アザラシだ」そんなやり取りのあと、遺体と確認したようです。その場所は西オングル島の西の端でした。海を挟んですぐ西側の豆島には、アデリーペンギンルッカリーがあります。ですからその付近は7次隊でも8次隊でも、越冬中は何回か観測隊員が訪れている場所でした。

一〇日、8次隊隊長の鳥居鉄也ほか4次隊で福島と越冬していた四名や医者がふじから基地に戻りました、基地に居た9次隊にも4次隊の仲間が一人おり、西オングル島の遺体発見現場に向かいました。六〇キロ以上あった福島の身体は三〇キロ程度だったそうです。

以下は鳥居が語ったその時の様子です。

「ドクターが福島君の時計を外し渡してくれた。その時（自動巻きの）時計がカチカチと動き出したのです。まるで福島君が生き返ったような感覚でした」

「今回遺体を発見できたことは最高の喜びです。4次隊の仲間が六人もいるのに、置いて帰ったらどうなったか、考えることもできません。福島君に『また俺を残していくのかと』強く腕を引っ張られた感じです。お骨になりましたが一緒に帰れてよかったです。」

遺体は発見された場所の近くで荼毘に付され、その場所にもケルンが築かれました。また遺骨の一部は基地の福島ケルンの下にも埋められました。そして私たちと一緒に帰国した遺骨は羽田空港でご尊父や弟さんの手に戻りました。合掌。

現れた　犬の死骸に　涙する

一九五八年の越冬断念から半世紀以上が経過した現在、振り返ると一九六七年のころの南極の夏、つまり一九六七年一月や一二月から六八年の一月頃にかけて、昭和基地の雪は大量に融け、地面が広がったようです。おそらく十数年に一度はそんな年があるのでしょう。昭和基地を建設することができた一九五七年ごろがそうでした。逆にふじでも昭和基地に近づくのが大変だった一九七一年などはその反対の年と云えるようです。

雪融けが進んだので福島さんの遺体も発見できたのです。一月、私は自分の住んでいたG棟周辺を少しでもきれいにして、次の隊に引き継ぎたいと、建物周辺の氷割をしていました。建物ができて以来、周辺の雪は融けることもなく厚い氷になっていました。ツルハシでその氷を少しずつ割っていくのです。その厚さが数十センチはありました。氷を割っていくうちに出てきたのが干物状の魚でした。宗谷の時代に犬の餌として持ち込まれたものだそうですが、そのころには基地のあちこちで、数年以上雪に埋まっていた宗谷時代の品物が出てきました。

そんな時に現れたのが、ミイラ化した犬の死骸です。2次隊は最後まで越冬するための準備をしていました。航空機で一一名の越冬隊を宗谷に収容しましたが、2次隊の三名が基地に居て、新しく送られてくる隊員や資材の受け入れに備えていました。当時の状況から越冬になれば雪上車の燃料補給は不可能なので、犬ぞりが重要な輸送手段でした。そのため1次隊の一五頭の犬はそのまま2次隊に引き継がれ、一頭づつ名札を付けて、海岸付近の海氷上につながれていました。

悪天が続くので、飛行の許す時を見計らい、基地に居た三名をとりあえず、宗谷に戻しました。この時点でもなお越冬を目指していましたので、犬たちはそのままでした。しかし結局は、天候は回復せず、飛行機を飛ばせぬまま時間切れとなり、犬は置き去りにされる結果となりました。

置き去りにされた犬たちの中のタロ、ジロの兄弟犬が鎖から抜け出し、生き延びて、3次隊の前に姿を現したニュースは朗報として、日本中で話題になり、後日映画にもなりました。

しかし元気な姿を見せたのは二頭だけでした。そして一九六八年の一月、固くしまった雪の下から残されていた犬が姿を現したのです。その姿を見た隊員は皆、目頭を熱くしました。この時

15頭の犬の慰霊に造られた像。東京タワーの下にあったが現在は極地研究所の南極北極科学館の庭に展示

昭和基地天測点に置かれていた犬を慰霊するための仏像。現在は日本に持ち帰られ極地研究所で保存（左は冬の姿）

現れた犬は二頭だったと思います。すべて水葬にしましたが、忘れることのできない一コマです。

床暖房　今は昔の　布団の霜

一九六六年ふじの時代になり、昭和基地は7次隊により再開されました。一度に運べる量が増えたため、発電機の燃料も十分に確保されるようになりました。観測船が昭和基地のすぐ東側まで来て停泊するのを接岸と呼びます。接岸できると、船のタンクから昭和基地の燃料タンクに、直接燃料をパイプで輸送できますから、極めて効率よく運べます。そんな背景から昭和基地の発電機も三〇〇キロボルトが二台設置され、交互に稼働させていますので、観測ばかりでなく、生活面でも電力は使えるようになりました。

その象徴が床暖房です。各個室は床暖房され、居住棟の端の個室に入った人からは、寒いとの不満もあるようですが、それぞれが快適に過ごしています。

1次隊では燃料節約のため、夜は暖房を止めていました。朝になると掛布団の上にうっすらと霜が降りていることも珍しくなかったようです。日本国内と同じように生活できる昭和基地は、それが当たり前なのかもしれませんが、文明の負の部分も見えてしまいます。

いくら室内が暖かく保たれようと、建物を一歩外に出ればそこには厳しい南極の自然が広がっています。マイナス一〇℃、二〇℃、あるいは三〇℃の自然冷房です。

一九七五年一月、新装なったばかりのアメリカ隊のアムンセン・スコット南極点基地を訪れたときのことです。その時が私にとっては初めての南極点基地訪問でした。基地の建物内は二二～二三℃に保たれ、Tシャツ一枚の人がいるのに驚きました。南極点ですから夏でも外気温はマイナス二〇℃程度あるいはそれより低いです。自分の経験した昭和基地の生活を思い出し、何もこんなに室温を高くしなくてもよいのではと思いました。アメリカのエネルギー大量消費の象徴と感じましたが、いまや日本もその域に近づいているのでしょう。耐乏生活と言われた昭和時代の精神は通用しないようです。

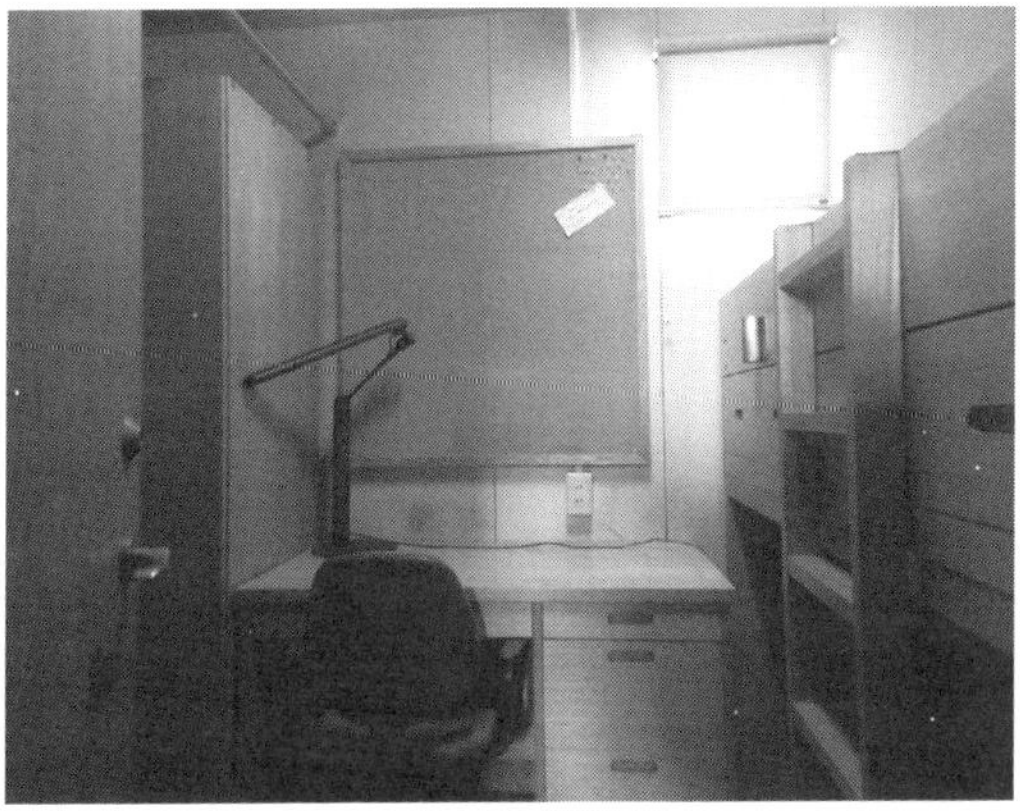

昭和基地の現在の個室。左側が入り口、右側は上段がベッド、下は収納スペース

一文字の　電報懐かし　昭和基地

22次隊で海事衛星を使った電話が使えるようになるまで、昭和基地と日本国内の連絡は、電報だけでした。文部省（当時）への公式報告もすべて電報です。ですから出発前には、隊員の名前をはじめ、いろいろな言葉に略号が付いていていました。例えば私「カミヌマ」の略号は「ヰカミ」でした。

文部省との間では週一回、無線電話が設定されており、銚子無線を経由して日本からも電話ができました。

留守家族でもどうしても話したいことがあれば、電話が設定された日の午後六時（昭和基地の昼一二時）に文部省まで行き、通話ができれば昭和基地に居る人と話ができました。越冬隊員に故障した観測機器の修理方法を伝えるべく文部省まで出向いても、電波状態が悪ければ昭和基地とは通話ができないことも珍しくありませんでした。

宗谷の時代はアマチュア無線も家族との連絡に使われたようです。当時、アマチュア無線の資格を持っているのは通信担当ぐらいでしたから、その人と留守家族あるいはその知人でアマチュア無線の資格を持っている人との間で、通話ができるときは、昭和基地の隊員と日本の家族、友人とはバックグランドノイズとして、話ができたようです。これももちろん電波状況によります。

結局一番確実なのは電報です。通信担当の負担も考慮して、一隊員三カ所まで、電報を出してよい相手を出発前に申請しておきます。留守家族、両親、職場などがその対象でした。人によっては出発前に家族と綿密に打ち合わせ、略号、暗号を駆使し、短い字数でお互いが通じるようにしていました。そんな中である日、日本の家族から一文字の電報が届きました。受け取った通信士は間違いではないかと確認したようですが、銚子無線からは間違いではないとの答えで、あて名の隊員に渡したようです。もちろん彼は一文字の電報の意味は分かったようですが、昭和基地内では「一文字の電報」と越冬中の話題になり語り継がれました。

なお当時の昭和基地からの電報料金は出発前にあらかじめ定められた金額を支払い、過不足は帰国後清算していました。当然あまり電報を出さなかった人には返金があり、不足の場合は追加支払いで、その金額が高額になったとぼやく人もいました。家族との電報のやり取りがほとんど唯一の情報交換の時代、しかも日常では金を使うこともなかったので、金銭感覚がマヒして、たくさんの電報を発信してしまった隊員も少なくない時代でした。

ファックスも　メールも届く　昭和基地

海事衛星で昭和基地に公衆電話が設置されたことは、隊員にとっては画期的な出来事でした。とにかく昭和基地で越冬しているのに、日本の家族、我が家の居間に電話ができるようになったのです。もちろん電話と同時にファックスもできました。ただし料金は最初の三分間で約五〇〇〇円、その後一分ごとに、一五〇〇円程度でした。

越冬している身になれば週一回ぐらいは家族と話したいという気持ちを自制しながら電話をしていたのでしょうが、支払う金額が一カ月に「一〇万円を超える」と、奥さんから注意が来たなどの話が出るようになりました。

人工衛星の電話が普及し、現在では昭和基地から極地研究所経由で国内の値段で家族や友人と電話ができるようになりました。ファックスの送受信も当然できます。そして最近ではメールです。

昭和基地から日本にメールが出せるのは、世の中の進歩と同調しているわけですが、日本の南極観測史上最大の改革、あるいは進歩と云えるでしょう。本当に日本が近くなったのです。

例えば宗谷・ふじの時代には越冬中に子供が生まれてもその写真が見られるのは、自分たちを迎えに来る次の観測船で運ばれてくるのですから、その年の一二月になってからです。ところが現在はほぼ即日に生まれた我が子の写真が見られるのです。

同じように昭和基地のライブ映像が二四時間、流し続けられているのも現在です。自宅のパソコンのスイッチを入れ、呼び出せば昭和基地の現在の映像が見られるのです。家族との連絡を事前にしておけば、自分の屋外での仕事をしている姿を家族に見せることも可能でしょう。そんなことをしている隊員がいるかもしれません。

昭和基地　トイレの変遷　進歩知る

不思議に思われるかもしれませんが、宗谷の時代には昭和基地にはまともなトイレがありませんでした。トイレ用の建物は用意されていましたが、基地に運ぶことはできず、ようやくふじの時代になって運び込まれ、大陸の上に非常小屋として置かれました。

そこで小は各建物の入り口付近にドラム缶を置き、「アサガオ」と呼んだ受け口をつけ、用を足していました。ドラム缶がいっぱいになれば空ドラムと交換すればよいのです。大は建物の間に張ったテント内に、一斗缶を置き汚物入れにしていましたが、そのトイレ用テントは天候の悪い時などのための非常用で、普段は一〇〇メートルほど離れた海岸まで行き、そこにあるタイドクラックをまたいで用を足していました。タイドクラックは潮汐の干満で、開いたり閉じたりしますので、汚物も自然に海に消えていたようです。

そりの上に個室四個を並べたトイレもありました。三方は板張りですが、正面の扉はありませんから、丸見えです。そりをタイドクラックの上に平行に置いておけば、汚物はタイドクラックに落ちます。周囲が汚くなったら移動すればよいのです。タイドクラックをまたいで用を足すよりは楽です。8次隊ではこのトイレは夏の人数の多い時以外は使われませんでした。そのまま次の隊に引き継ぎましたが、9次隊の人が描いたこのトイレのスケッチでは、扉が付いていました。9次隊の器用な人が大工仕事を引き受けてくれたのでしょう。「吹上御殿」がこのトイレの呼称でした。

7次隊で新しく発電棟が建設され、その中にトイレも設けられました。その二年前の一九六四年に開通した東海道新幹線と同じ方式と聞きましたが、水洗トイレです。水洗ですが循環式で下の汚物タンクに水と消臭消毒液を入れて、ろ過させながら水を流し、排せつ後の汚物を流し去る方式です。発電棟内は暖かいので汚物タンク内も凍結することはありません。タンク内の水に汚物の割合が増えてくると、すべてを海氷上に捨て、新しい水に入れ替えるのです。この作業が大変なので始めのころは、使用を控えていたようですが、いつの間にか当たり前に使うようになりました。

この水洗式トイレはおそらく南極で最初に使われた水洗トイレだったと思います。私が初めてアメリカのマクマード基地を訪れたとき、新しく建てられた建物には水洗トイレが設置してありました。しかし、ＩＧＹ当時の建物では小と大は別で、小は日本と同じドラム缶方式、大は腰掛便器の下には大きな紙袋があり、汚物がたまるとその紙袋を交換する方式でした。このトイレを彼らはハニーバケットと呼んでいました。

初期のころはどの基地でもこのハニーバケット方式でしたが、室内の暖房や汚水管の凍結防止

ふじ時代の昭和基地の循環式水洗トイレ

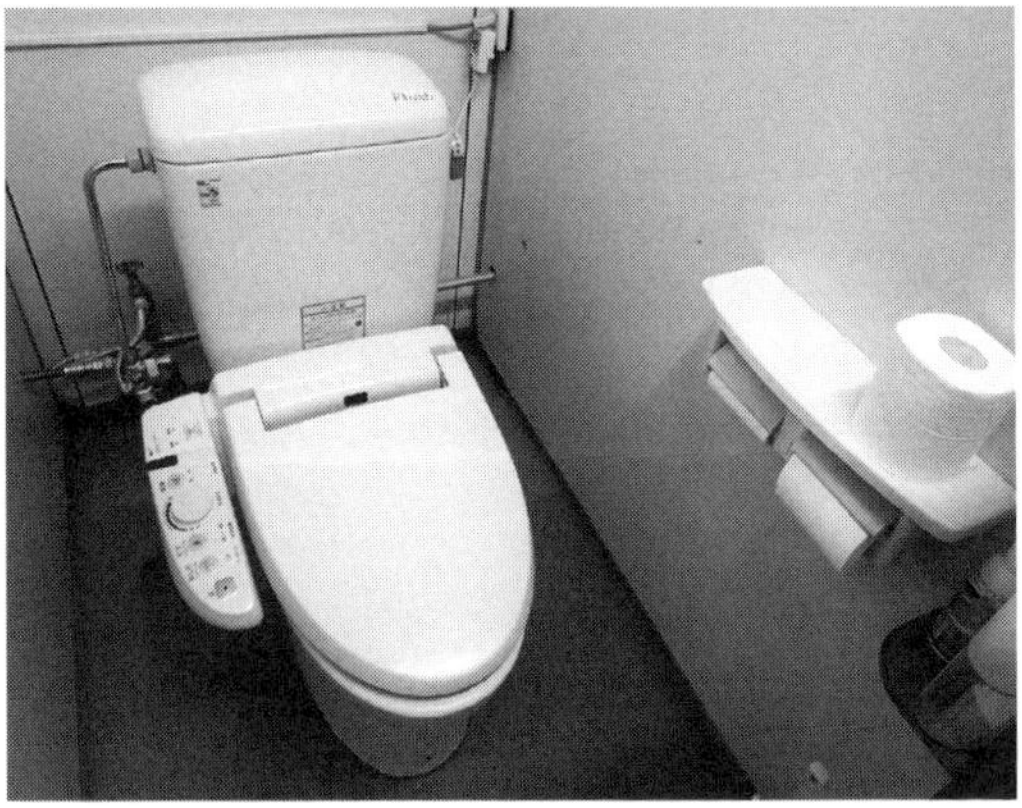

昭和基地の現在の男子用トイレの個室。ウォシュレットになっている

設備が進むに従い、各基地は水洗トイレが設置されてきました。しかし汚物処理にはそれぞれ苦労と工夫があり、紙は別に捨てるというのが一般的のようでした。

昭和基地でも近代的な水洗トイレとなりましたが、環境保護のため汚物は最後には焼却して灰を日本に持ち帰る方式になっています。

私はウォシュレット方式のトイレを、日本人の優れた発明と考えていますが、昭和基地のトイレもウォシュレットになっています。ニュージーランドの基地では山小屋などで使われているバイオ方式のトイレが普及しています。

韓国の新しい基地もウォシュレットトイレになったと聞いたことがありますが、トイレに関しては昭和基地の設備は南極でも最先端のようです。

自分の仕事と　他人の仕事を　比べるな

この言葉はいわば観測隊の格言というべきものですが、ある意味では日本国内のどこの職場内でも、あるいは人間の社会のどこにでも起こることと云えるでしょう。

南極観測隊は観測部門にしろ、設営部門にしろ、ひとりひとりがそれぞれの任務をもって参加しています。同じ職種の人はほとんどいません。そんな職場環境でも、自分の仕事は他の人よりきつい、あるいは大変だと思うのが人間の心理のようです。

私が良く例に出すのは、観測部門では、その成果の勤務評定は帰国後になされるのに対し、設営部門の良し悪しはほとんど毎日、無言の注視の中でなされているという事です。なかでも目の前で勤務評定を受けるのは調理担当者だと思います。もちろん基地内が停電したり、雪上車が動かなかったりすれば、担当者は責任を感ずるのは当たり前ですが、そうならないために機械担当の人たちは定期的な点検をはじめ、保守管理に日夜努力しているのです。

調理担当の場合、準備した食事がまずければ、隊員の箸は進みません。ベテランなら「まずい」と云われても「おまえの舌がおかしい」と云い返せるかもしれませんが、若い人ですとなかなかそうはいきません。隊員の中には「飯炊きぐらい俺にもできる」という人も出てきます。それぞれの専門に敬意も払わず、外見だけで「大変だ」とか「楽だ」とか批判をするのは、批判する人の知性の低さ、教養の無さを示すことになります。

互いの専門には敬意を払い、協力し合う精神こそ、南極観測隊の基本ですが、これは日本社会でも通用することかもしれません。

還暦過ぎ　初めて経験　病人帰国

越冬が始まってから日本の南極観測越冬隊で病人が出たらどうするかは、越冬隊長を始め関係者の暗黙の課題でした。オングル島という島に建設されている昭和基地は、同じ南極大陸沿岸の基地でも、大きなハンディキャップがあります。だからそのようなことが無いように、事前に健康診断をして、問題の無い人を越冬隊員に選んでいるのです。越冬がはじまったら、お互いに注意して怪我の無いようにしているのです。関係者は全員の無事を祈るような気持ちで見守っているのです。

一九五七年に人跡未踏の地に建設された昭和基地です。船が近づけるのは一二月から二月頃までです。ですから日本の観測船も、二月二〇日ごろには、基地を離れ、沖合の浮氷帯の外に出るようにしています。それができなくて、蜜群氷につかまり、氷とともに流されたのが、観測隊の初期の宗谷でした。

海氷の具合にもよりますが、仮に救援の船が外洋に近づけたとしても、浮氷群の外側からヘリコプターを飛ばすにしても、片道一〇〇キロ以上の距離となり、天候次第、海氷次第の運を天に任せる、大変な作業になるのです。

南アフリカからいくつかの基地を経由して飛行機を飛ばすにしても、昭和基地の受け入れ側に問題があります。昭和基地の周辺の海氷上には小型機の着陸は可能ですが、海氷が固くなり飛行機が着陸できるのは、ほぼ七月頃になってです

大型飛行機の場合は南極大陸縁の内陸旅行のルートにつけられた旗番号S16〜S17付近に、着陸可能な地域が設定されていますから、そこへの着陸は可能です。ところが昭和基地からその地点に行くには、雪上車で海氷を越えてゆかねばなりません。小型機でも海氷上に着陸できない時期は、十分な調査をしないと、雪上車でオングル海峡を渡り大陸へ上陸することも難しいのです。

昭和基地に観測目的で小型機を越冬させたこともありましたが、今はそのようなプログラムも

ありませんので、越冬中は基地にはヘリコプターも小型飛行機もありません。島にある基地ですが、舟もありません。南極の沿岸基地では船外機付きのゾディアックと呼ばれるゴムボートを使いますが、昭和基地では周辺の海は氷に覆われていることが多く、ボートでも航行することは難しく、また日常生活上でも必要はないので、昭和基地には船舶はありません。

そんな背景から、四月頃から八月頃までは、昭和基地では日本からはもちろん、南極の基地同士の間でも、全く孤立無援を覚悟しなければならないのです。そんな折、基地にとって最悪の事態が起こりました。

新聞報道によれば、61次隊の越冬開始後の二〇二〇年三月二六日、基地内で行われた最初の定期健康診断で、一人の隊員の異常に医師が気付きました。その後の検査により、基地では治療困難な病気にかかっている可能性が高いと判断されました。そのため三月三一日に国内の専門医との遠隔医療相談で、その後の方針について相談し「一刻を争う病状ではないものの、今後約一年の越冬に耐えるのは困難である」と判断され、早期帰国が決められました。日本ではコロナウイルスで大騒ぎしている頃で「警戒事態宣言」の発せられる直前の事でした。

国内では早速、昭和基地からの隊員の輸送方法が検討されました。幸いなことに、その時点で昭和基地の東三〇〇キロに位置するロシアのマラジョージナヤ基地には、砕氷船アカデミック・フェドロフ号がいることが分かりました。日本の極地研究所はロシアの南極北極研究所に対して支援を依頼し、了解が得られました。

フェドロフ号はマラジョージナヤ基地での活動が終了後、同船は昭和基地北方七〇キロ付近に移動しましたが、数日間は荒天待機を余儀なくされていました。四月九日午前、搭載するヘリコプターが昭和基地に飛来し、患者の隊員と付き添う隊員の医師一名を収容してくれました。その後、同船は昭和基地の西一〇〇〇キロ付近のノボラザレフスカヤ基地の沖合で観測を続けたあと北上し、五月五日に南アメリカ共和国のケープタウンに入港、二人は下船できました。

二人は検疫期間の二週間を指定のホテルで過ごした後、コロナ騒ぎの中、チャーター便などを乗り継いで、五月二二日に成田空港に帰着できました。

日本の六一回の南極観測史上初めての越冬隊成立後の帰国でしたが、幸いだったことはロシアの観測船がまだ活動していたことでした。1次隊の宗谷と同様、またロシア（当時はソ連）の船に助けられたのです。

四月上旬には日本の南極観測船しらせは、すでに寄港地であるオーストラリアのシドニーを出港し、太平洋上を日本に向かっていたときでした。仮にしらせで救出するにしても、しらせの到着は四月の後半になり、天候の悪化で、うまく収容できたかどうかも分かりませんでした。

過去に昭和基地では、盲腸などの手術が行われた例があります。ソ連（当時）の基地では医者が自分自身の盲腸の手術を鏡を見ながら執刀したと話題になったことがありました。いずれの場合も基地内でなんとか処理できた事例です。

一九八〇年代だったと思いますが、アメリカのアムンセン・スコット南極点基地の医師で越冬隊リーダーを務める女性が乳がんを発症、越冬が終わる一一月の帰国では危険という事で、八月に飛行機を飛ばし救出した例があります。飛行機の経由地であるマクマード基地は、日中の数時間は明るさが戻った時期ではありましたが、南極点は暗黒の世界です。そこへ大型輸送機（C－130）が着陸して、患者を収容、無事帰国させたのでした。

最近の南極事情には疎くなっていますので、正しいかどうかわかりませんが、私の知る限り、今回の緊急救出劇は、それ以来の快挙だと思います。幸運も伴いましたが、六十余年の歴史のある観測隊が一つの壁を乗り越えた出来事でした。

第3章　観測・調査

国際地球観測年で日本に与えられた役割は、まず東経三〇度から四五度の海岸線に沿った地形図作り、昭和基地での気象、地震、地磁気などの地球物理学分野の観測、さらには地理、地形、地質など、南極の姿を知る調査でした。そして当時は日本には専門家のいなかったオーロラや雪の研究者はいても氷の研究者はいなかった南極大陸を覆う氷の研究なども求められていました。

南極観測　まだやっているのと　議員さん

　たまたま飛行機の中で国会議員と隣り合わせになったときのことです。現在の民間航空機のビジネスクラスでは非常に少なくなりましたが、昔は座席がかなりくっついていたので、隣の席の人と話す機会も多くありました。最初のときは南アメリカ、二回目はアフリカへ行く機内で、ともに二〇〇〇年前後の事でした。

　隣に座った人が議員バッジをつけていたので、国会議員とは気が付いていましたが、こちらから話しかける用もないので、寝たり、読んだり、書いたりといつものように、機内で過ごしていました。目的地に着く二〜三時間前になったころ、話しかけられ、私の仕事を聞かれたので、ありのままを話しましたところ、南極観測はまだやっているのですかと、驚かれました。偶然会った二人の国会議員の方は、タロ、ジロ時代の南極観測はもちろん知っていましたが、その観測が数十年も続いているとは、知らなかったようです。知らなかったというよりは、南極観測そのものに興味がなかったのです。

国会議員もそれぞれの得意分野があり、文科省関係の文教委員会に属する人たちは、南極の事はよく知っているはずですが、その他の人たちの多くは関心がないのです。ある大臣になった人が云っていたことですが、「南極は票につながらない」、つまり選挙の時の集票につながらないので、興味・関心が持てないのでしょう。

私は昭和基地の役割、つまり南極観測について、いつも以下のように説明しています。

1. 地球上の一観測点として、気象観測、地震観測などを定常的に継続する。
2. オーロラ、雪や氷、ペンギンなど南極特有の現象を観測・調査し研究する。
3. 内陸調査の拠点。

毎日のテレビの天気予報を見れば明らかなように、日本の天気を予報するのに、日本だけで気象観測をしていても、正確な予報は出せません。朝鮮半島や中国大陸の今日の天気が、日本の明日、明後日の天気になってくるのです。さらに一週間後、一〇日後の天気を予測するとなると、ヨーロッパや北極の気象条件が重要になります。一カ月後、三カ月後など、さらに長期の予報になると南半球の気象も必要になってきます。気象という地球規模の現象を正確に解明するには、全地球的にデータを得ることが必要なのです。そのためにIGYが実施され、終わっても、多くの国が南極観測を継続しているのです。

オーロラも極地特有の現象ですが、全地球規模の現象でもあるのです。オーロラが活動している時は、上空で磁気嵐が起きているので国際通信には障害が起こります。ただ近年は人工衛星を利用した通信システムが発達したので、実害は少なくなりました。ですから地球を取り巻く磁気圏と呼ばれる空間の研究には、どうしても南極でのオーロラ観測も不可欠になります。このように南極でなければできない研究をするのも、昭和基地の役割です。

未知の大陸の調査は、空からだけではできません。やはり地上を雪上車で走り回り情報を得なければなりません。そのような調査研究をする人たちも、昭和基地に滞在していて、厳寒期が過ぎると、内陸の調査に出発します。

日本から一万四〇〇〇キロも離れた昭和基地を、維持し、観測を続ける価値があるのかないのかの議論は、あまりなされていません。多くの国民にとって、南極観測を継続しても、しなくても関係のない事なのでしょう。しかし日本が世界の先進国の一つとして、南極に基地を置いて、観測・調査・研究を続けることは、全人類に対する当然の貢献だと考えています。目に見えない貢献ではありますが、それができるのがその国の文明の高さに裏打ちされた国際貢献だと考えます。

地球上の一観測点として、昭和基地では気象観測、地震観測あるいは地磁気の観測を続けていますが、それから何が得られるのでしょうか。メディアが報じるような科学的大発見はほとんど期待できません。近年は地球の温暖化が心配され、南極の氷が融けたとか、暖かくなったとか、衝撃的な報道がなされることがあります。

昭和基地を含め、IGYで開設し、その後継続して維持されている基地では、六〇年分以上のデータが蓄積されています。世の中では急激な温暖化と騒がれ、心配されていても、南極観測のデータで、完全にそれが証明されてはいません。私は南極の温暖化に対しては、「南極はそんなにヤワではない」と云うことにしています。南極という地球上の氷の九〇パーセントを有する、巨大大陸の変化を正確に把握するには、たかが六〇年程度の観測では不十分です。

しかし、その間に得られたデータは、現在でも確実に役立っています。昭和基地での気温の観測では南極での温暖化はまだ認められないという結果が出ています。今後の気温の変化がどうなるかは分かりませんが、昭和基地での観測継続は、将来その価値がより一層増してくるでしょう。各国の基地で数名の観測者によって得られている、一見平凡に見えるデータも、人類にとっては貴重なデータであり、人類共通の財産なのです。各基地での平凡な観測の継続こそ、全人類にとって、貴重な財産になってくるのです。

南極の　四つの極を　理解する

南極には四つの極があるというと、聞いた人は不思議な顔をします。「南極点」と「南磁極」は南極に興味・関心のある人はみな知っているでしょう。「南極点」は地球の地理学的な極で、地球の回転軸が地表に出る点です。南緯九〇度とその位置が、緯度だけで示される特異点です。

「南磁極」は磁石の南極で、磁石の針が垂直（磁石の伏角が九〇度）になる点です。発見された一九〇八年には陸上にありましたが、年々一〇キロメートルほどの割合で西から北へと移動して、現在はアデリーランドの北の海上にあります。

第三の極は「南磁軸極」です。地球の中心に一本の棒磁石があると仮定します。そして地球上のいろいろな地点で、その場所の地磁気の強さを測定します。その測定された地球上のすべての地磁気の分布にもっともよく一致する磁場モデルの極の位置、つまりモデルの棒磁石の南極の位置が南磁軸極です。「地磁気南極」とも呼びます。

以上三つの極に対応して北極でも「北極点」「北磁極」「北磁軸極」があります。

第四の極は南極特有の極で「到達不能極」と呼ばれています。南極大陸のどの海岸線からも、もっとも離れた地点と定義され、その地点は南緯八二度、東経七五度を中心とする一帯で、標高も四〇〇〇メートルを超えます。南極氷床のもっとも高くなった一帯です。

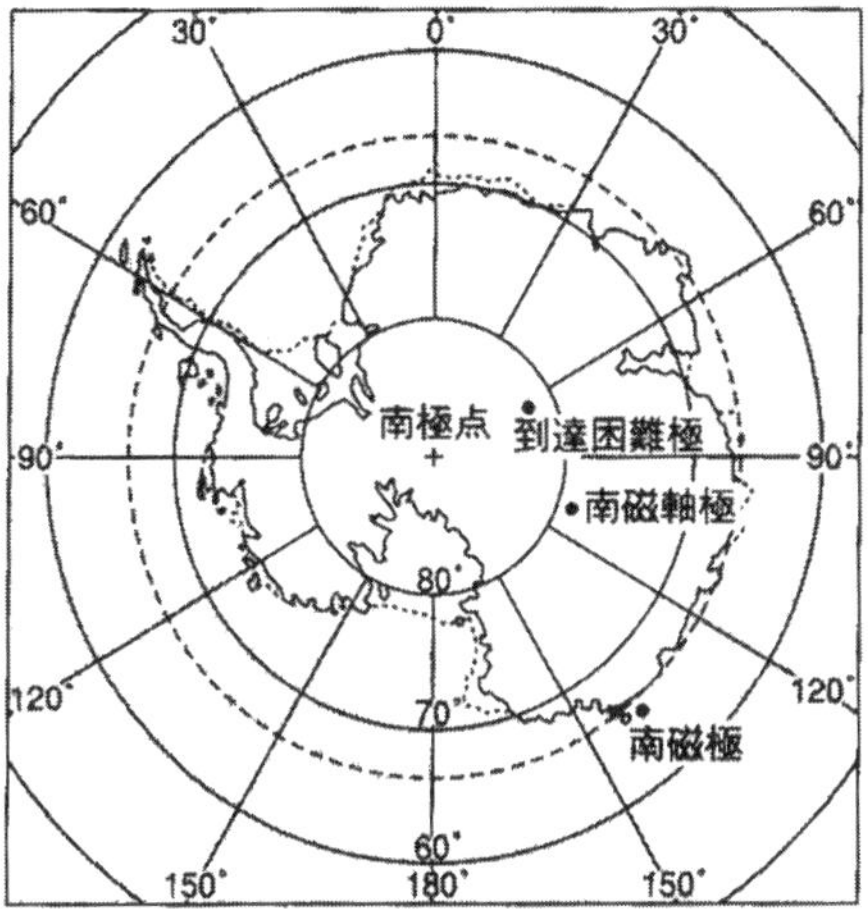

南極の４つの極

ＩＧＹでは、ソ連（現ロシア）がこの点に「到達不能極基地」を設けました。人類が生活したことがあるのだから「到達不能」ではなく、「到達至難極」あるいは「到達困難極」とすべきとの意見もあります。

また「南極点」にはアメリカが「アムンセン・スコット南極点基地」を、「南磁軸極」にはソ連が「ボストーク基地」を建設し、今日も観測を継続しています。「南磁極」の近くにもフランスが基地を設けましたが、極自体が海上に移動してしまいました。フランスが建設した基地は現在はデュモン・デュルビル基地に引き継がれています。

昭和基地　オーロラ帯の下で　成果上げ

日本が南極観測に参加することを決め、国際学術連合がプリンスハラル海岸付近を、基地建設の一つの候補地として推薦してきたとき、この地域は「オーロラ極大値地域に平行である」との理由がありました。しかし、当時は日本にはオーロラの研究者はいませんでした。南極観測が始まり、南極の多くの基地でオーロラの観測・研究が進むに従い、その発生メカニズムが明らかになってきました。地球の磁場を研究し、興味・関心を持っていた研究者たちが南極観測に参加をし、オーロラの研究を始めました。

オーロラは極地特有の現象ですが、太陽の黒点が増加し、大きな磁気嵐が起こったようなときは別にして、普通は「オーロラ楕円帯」と呼ばれる特別な地域だけに、高い頻度で出現することが分かってきました。南磁軸極を中心に、太陽に対して昼間側では一〇～一三度離れた、地磁気緯度で七七〜七八度、夜側では二〇〜二二度離れた六八〜七〇度の低緯度側にずれた楕円形の地域がオーロラの出現頻度がもっとも高いのです。このオーロラの出現頻度の高い地域を「オーロラ楕円帯」と呼びます。

昭和基地の地磁気緯度は六七度で、ほぼオーロラ楕円帯の直下にあります。ですからオーロラの観測・研究には大変良い条件に恵まれていました。オーロラを研究する学問分野は現在では「超高層物理学」と呼ばれ、多くの研究者が育ってきました。昭和基地で観測が始まった頃は手探りでのオーロラ研究でしたが、現在は世界の学界をリードするだけの実力が備わったと云えるでしょう。

昭和基地のオーロラ。写真手前の小さな２つの盛りあがりはふじの時代の初期にいた二頭のハスキー犬のブルとホセ

多くの日本人がオーロラに憧れているようです。各旅行会社はオーロラ観光を盛んに宣伝しています。その行く先はどこも北半球のオーロラ帯の直下です。ですからどの地域に行ってもオーロラは同じように出現するはずです。ただオーロラは地上八〇〜一二〇キロの高さに出るのですが、地上一〇キロまでの高さは対流圏と呼ばれ、気象条件が大きく変化

します。上空でオーロラが出ていても、天候が悪ければ雲にさえぎられ見ることができません。

そんな中で、カナダ中央の地域、例えばイエローナイフでは冬季は晴天になる割合が九〇パーセント以上と非常に高いのです。水分を含んだ太平洋の空気は、ロッキー山脈を越えるとき、雪を降らせ、カラカラになってカナダの中央に達するからです。オーロラを見に行くときの参考にしてください。またオーロラが現われたら、昭和基地でも見える、見えないは別にして、同じオーロラが出現していることを思い出してください。

日中に　オーロラ出ていると　大騒ぎ

昭和基地の夏は隊の引継ぎと、建物の建設期間ですが初めての隊員はオーロラには興味津々です。昼休みなどにもオーロラの話が出ます。そんなとき、担当隊員から「今オーロラが出ていますよ」と云われ、慌てて屋外に駆け出し、さんさんと輝く太陽を見てだまされたと文句を云う人がいました。越冬した人には当たり前な話ですが、初めての隊員をからかうのには面白い昼間のオーロラです。

オーロラは光の現象です。だから上空の磁気圏ではオーロラと同じ現象が起きてはいるのですが、昼間ですから光としては見えません。しかし電磁現象として磁気圏を観測しているいろいろなデータにはオーロラが出ている時と同じ現象が昼間でも記録されるときがあるのです。もちろん暗ければその時もオーロラは見えるのです。南極観測が始まってから、南北両半球で同時にオーロラの観測がなされるようになりました。そしてオーロラが電磁現象であることが分かってきました。

オーロラの源は太陽です。太陽からは常に太陽風が吹き出しています。太陽風は電気を帯びた電子や陽子の流れで、その電気を帯びた電子や陽子を荷電粒子とかオーロラ粒子と呼びます。太陽風が地球の磁場の磁気圏に入ってくると、磁力線に沿って地球表面に降り注ぎ、地球周辺に存在する大気に衝突します。その衝突のエネルギーで発光するのがオーロラなのです。オーロラ粒子は磁力線に沿って地球表面に降り注ぎますから、その発光は磁力線の集中する北極や南極で同時に起こります。ですから一〇〇～二〇〇キロの上空でオーロラの起こっている現象が観測されれば、必ず南極でも北極でもオーロラは現れてはいますが、光の現象としては昼間は見えないのです。

このように昼間現れている現象をラジオオーロラと呼びます。光の現象のオーロラは昭和基地でも太陽が沈む季節に入ってから観測が始まりますが、上空のオーロラ観測は一年を通して行われているのです。

ブリザード　気象忙し　我休み

ブリザードは「雪嵐」と訳されますが、北アメリカ北東部の猛吹雪にその語源があります。南極でも強い風と激しい降雪で視界の悪い状態を意味し、もっとも恐ろしい気象現象です。日本の南極観測隊でただ一人の犠牲者の福島さんの事故もブリザードのときに起こりました。

昭和基地でブリザードが襲来しそうになると忙しくなるのが気象担当者です。気圧や風の変化、視界の変化を常に観察し、適宜隊長に報告します。隊長は気象状況が危険と判断すれば、基地内に外出禁止令を発します。

外出禁止令が出ると基地では建物の外に出ることは許されません。もし離れた建物に居る人は、そこに留まらねばなりません。それに備え、主な建物には非常食をはじめ、ロープやライトなど非常用に使う備品などを置いてあります。

8次隊で越冬した時の私の担当は地震観測、オーロラの全天カメラと目視観測、海洋潮汐の観測、地磁気の絶対測定などでした。このうち毎日必ずやらねばならなかったのは地震観測の記録フィルムの交換と地震の読み取り、全天カメラの観測でした。ところがブリザードの時は強い風で地面がたたかれるので、地震記録はノイズだけとなり、記録は交換しても、読み取りはしなくて済みます。また地磁気が荒れていて、オーロラが必ず出現しそうな日でも、天気が悪ければオーロラは見えませんから、全天カメラの作動も、目視観測もできません。だから何の心配も無く観測をしなくて済みますので、私にとってはブリザードの日は記録の交換さえ済ませれば、あとは撮影したままになっているオーロラの写真を現像、焼き付けをするくらいで、夜勤もしないで心置きなく休める日でした。

平均の　気温が出るまで　三〇年

ＩＧＹの大きな目的の一つは、南極のいろいろな場所での気象観測でした。それまでもいくつかの探検隊が越冬していますが、南極で一年間気温を観測した場所は数えるほどでした。日本隊も気象観測は最重要項目の一つで、どのような条件下でも越冬する以上は必ず気象観測を実施する予定でした。幸い1次隊で越冬ができましたので、とりあえずほぼ一年間の昭和基地の気象データが得られました。昭和基地は3次隊で再開され、5次隊までほぼ三年間の気象データが得られました。それで昭和基地近傍の気象環境は分かったのでしょうか。もちろん少しは分かってきましたが、入り口の扉が開かれた程度でした。

日本でも今年の冬は寒かった、あるいは暖かい冬だった、暑い夏だった、あまり暑くなくよかったなど、その気候は年によって大きく変化します。このような現象を変動現象と呼びます。変動現象の中には数時間で変化が分かるものもあれば、地球上の氷河期のように何万年から何十万年の長い時間で変化する現象もあります。そこで気象現象の場合は三〇年間観測を続けて、その平均値を、その場所の値とします。

もちろん私が最初に越冬した8次隊のころも、昭和基地の平均気温はマイナス一〇℃ぐらいとは分かっていました。しかしその値は暫定的な値であって、国際的に通用する昭和基地の平均気温は37次隊のころから、それまでの観測値を平均した値が得られるようになったのです。実際には気象庁は西暦年の一位が一年の年から連続する三〇年間観測した値の平均した値を平均値としています。ですから二〇一一年から二〇二〇年までの値は一九八一年から二〇一〇年までの観測を平均した値が昭和基地の平均値として使われています。日本で使われている気象関係の平均値も同じように求められた値です。

このように変動現象の解明には長い年月の観測が必要なのです。

無いはずの　地震を観測　合点する

8次隊への参加が決まった一九六六年ごろ、日本で発行された地震学の教科書はほとんど、日本列島周辺で起こった地震現象の解説ばかりでした。アメリカの地球物理学の教科書には「南極には火山性の地震はあるが、構造性の地震はない」と記述されていました。構造性の地震というのは火山付近以外で起こる地震のことで、日本列島では構造性地震と火山性地震の両方がたびたび起こっているのです。関東大震災、阪神淡路大震災、東日本大震災もすべて構造性の地震と定義されています。

南極でも火山性地震の存在は、一九〇二年にロス島で越冬したスコット隊の観測から、活火山のエレバス山付近で地震が起こっていることは分かっていました。しかしそのほかの地域では、地震が起こったという確実な証拠はなかったのです。

この知識で私は越冬を始めたのですが、南極大陸全体を見た場合、昭和基地付近でも地震が起こっても不思議ではない、むしろ起こらないほうがおかしいとは考えていました。

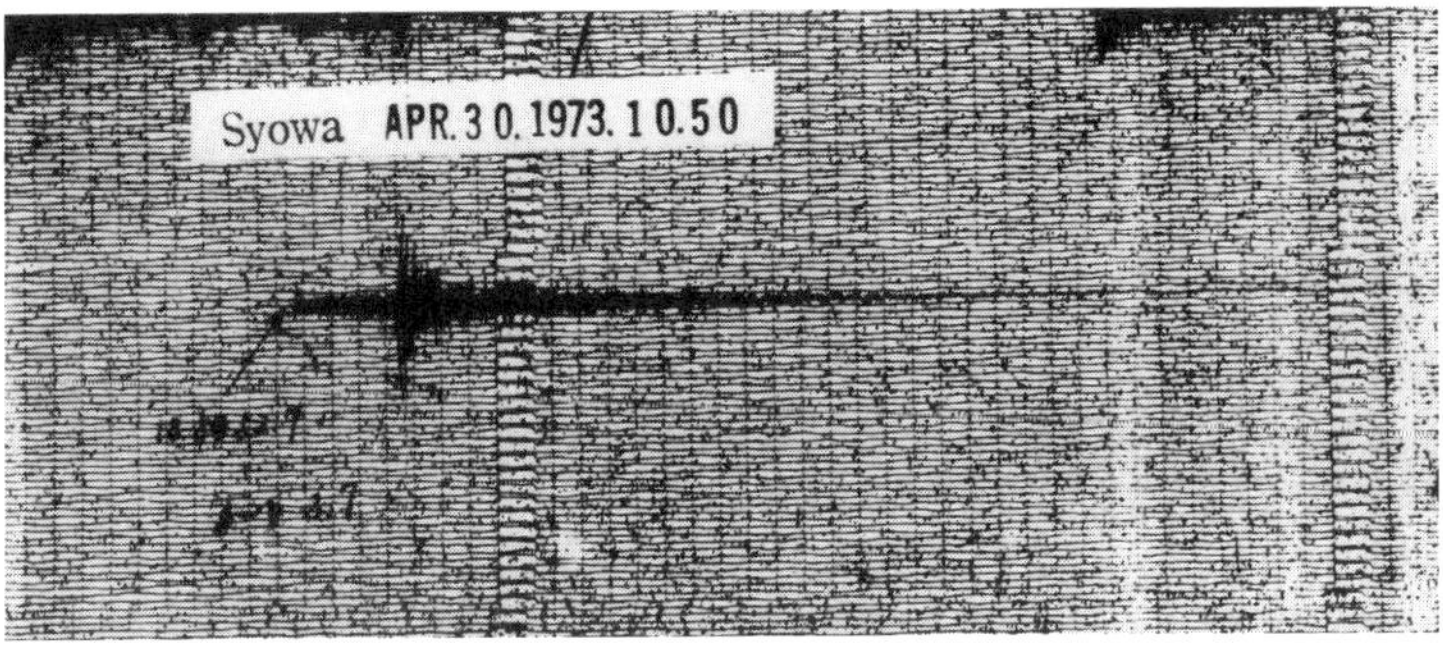

1973年4月30日、昭和基地付近で起こったと推定される地震の記録

もちろん昭和基地のある南極大陸の東半球側は現在地球上に存在するもっとも古い陸地に属しており、安定した大陸です。日本列島のように隆起したり沈降したりする現象はほとんどありません。しかしそのような大陸でも、その周辺では少しは地震が起こっています。一九六六年ごろはプレートテクトニクス論が盛んになり、大地震は地球の表面を覆うプレートとプレートの境界で起こることがはっきりしつつある時代でした。

越冬を始め、私は毎日記録された地震記象を調べました。昭和基地の地震記象には遠方で起こった地震が毎日数個ぐらいは記録されていました。そのような地震とは記録の顔つきの違う小さな振動がたくさん記録されることがありました。それは海の氷の割れる氷震でした。たまには陸の氷が割れたのではないかと思われるような振動もありました。越冬を始めて半年もすると私は遠方で起こった自然地震、近くで起こった海氷の割れる氷震、遠方の氷震の区別がつくようになってきました。

そんな経験を積んできたころ、自然地震としては数十キロから一〇〇キロぐらいのところに起こったのではないかと思われる地震らしき振動を見つけました。しかしそのように地震ではないかと思われる振動が起こったのはそれ一回でした。しかし私にとっては「やはり起こっていたか」といううれしい発見でした。帰国してからその後三年間ほどの記録が蓄積されるのを待ち、ほかの基地の記録も調べ解析するとやはり、南極大陸内に地震が起こっていることが明らかになりました。しかし多くの研究者を納得させるには、より多くの証拠を示さねばなりません。結局「南極では活動の割合は極めて低いが、日本列島と同じように地震が起こっている」ことを研究者仲間に納得させるには二五年の歳月が必要でした。

定常の　観測続け　大成果

気象観測や地震観測のような世界の一観測点として観測を定常的に継続している項目は、昭和基地のデータだけからは大きな発見は得られません。多くの観測点のデータを集めて、解析し、研究して初めて何らかの成果が得られてくるのです。

昭和基地では一九六一年からオゾン量の観測が気象観測の一つの項目として始まりました。オゾンの観測は一九六六年に昭和基地が再開されるとすぐ継続され、観測が続けられていました。一九八二年一〇月、昭和基地のオゾン量が二〇パーセントも急激に減少しました。その現象は一一月になると元の値に戻っていました。観測の担当者は減少の原因が観測器械の故障ではないかと疑いましたが計器は正常でした。帰国後、担当者はオゾン量が減少した事実だけを報告しましたが、誰もその異常に注目した人はいませんでした。その後も昭和基地の観測では、南極の春先の一〇月頃になるとオゾン量の減少が観測され、一一月には元の値に戻ることが繰り返されていました。

一九八五年、イギリスのハレーベイ基地でも南極の春先になるとオゾン量の減少が観測されたと発表がありました。そしてその原因はフロンガスだとすぐ突き止められました。南極での観測とは別に、実験室でフロンガスがオゾンを破壊することが調べられていたのです。オゾン量の減少は太陽からの強い紫外線がオゾン層によってさえぎられることなく、直接地表面に届き、とくに白人は皮膚がんを発症する割合が高くなるとの心配から、騒ぎが大きくなりました。

そしてそのオゾン量の減少はすでに一九八二年には昭和基地で観測されていたことが分かり、南極の春先にはオゾンホールが発生すると大問題になったのです。その後地球上でのフロンガスの使用は禁止され、対策は取られてきましたが、南極の春先のオゾン量の減少は二一世紀になってもしばらく続くと考えられています。

気象観測の一項目として地道に続けられていた観測がわずか二〇年にも満たない短い期間で大成果を上げたのです。しかし定常観測の項目としては、例外的な出来事でした。

ブルーアイス　黒いものが　隕石だった

一九六九年、昭和基地から南へおよそ三〇〇キロ離れたやまと山脈の南側の蒼氷の露出していた裸氷域で、雪氷の調査をしていた10次隊が九個の隕石を発見しました。そして四年後、14次隊は一二個の隕石を発見、これら南極で発見された隕石は南極隕石と総称され、研究者たちの注目を集めるようになりました。

一九六九年はアメリカのアポロ計画で、初めて人類が月への第一歩を印した年です。世の中は宇宙への関心が高まっていました。隕石は地球外の天体の破片であり、天地創造の情報が含まれている貴重な試料です。私が学生の一九六〇年ごろ、日本には隕石が二三個あるが、中には火の玉として天から降ってきたものもあり、落下点近くの寺の宝物になっていて、研究者も見られないと教わりました。

国土の広いアメリカなどは、数多くの隕石を所有していましたが、それでも当時の世界中で確認されている隕石の数は二〇〇〇個程度でした。そんな時代背景の中、日本は数年の間に二一個の隕石を得たのです。

南極大陸の内陸氷原には強風で雪が飛ばされ、氷が露出し蒼くテカテカしている地域がありま す。このような地域を裸氷域とかブルーアイスと呼びます。付近には山はなく、ひとかけらの岩石もない白一色の世界です。そんな中にポツンと黒っぽい物があると遠方からでも目立ちます。調査隊はただ雪上車を走らせて行くだけで二一個の隕石を採取することができたのです。

日本隊が南極で隕石を発見する前、南極大陸内では四個の隕石が発見されていました。それらは大陸周辺の氷河の中で偶然発見されたもので、日本隊の二一個もやはり偶然の産物でした。日本国内では二一個の発見の結果、南極大陸内に隕石が落ちている可能性が大きいと考え、越冬隊の中に南極隕石を探す計画を入れました。日本隊は15次隊、16次隊でやまと山脈に調査隊を送り、地質調査とともに隕石探査を実施し、九七〇個の隕石を採集しました。

日本隊の南極での隕石大量発見を知ったアメリカの研究者から、一緒に南極で隕石を探したいという申し出がありました。そこで一九七九年から三年間、アメリカのマクマード基地を根拠地として、南極横断山地の西側の裸氷地帯で日米共同の隕石探査を実施しました。その結果、五八六個の隕石の採集に成功しました。中には両手で持ち上げられない重さが一〇〇キロを超える、ひと抱えもある大きな隕石も含まれていました。その後も日本隊は探査範囲を広げて、何回か探査を繰り返した結果、現在はおよそ一万八〇〇〇個の隕石が採集でき、世界有数の隕石保有国になりました。

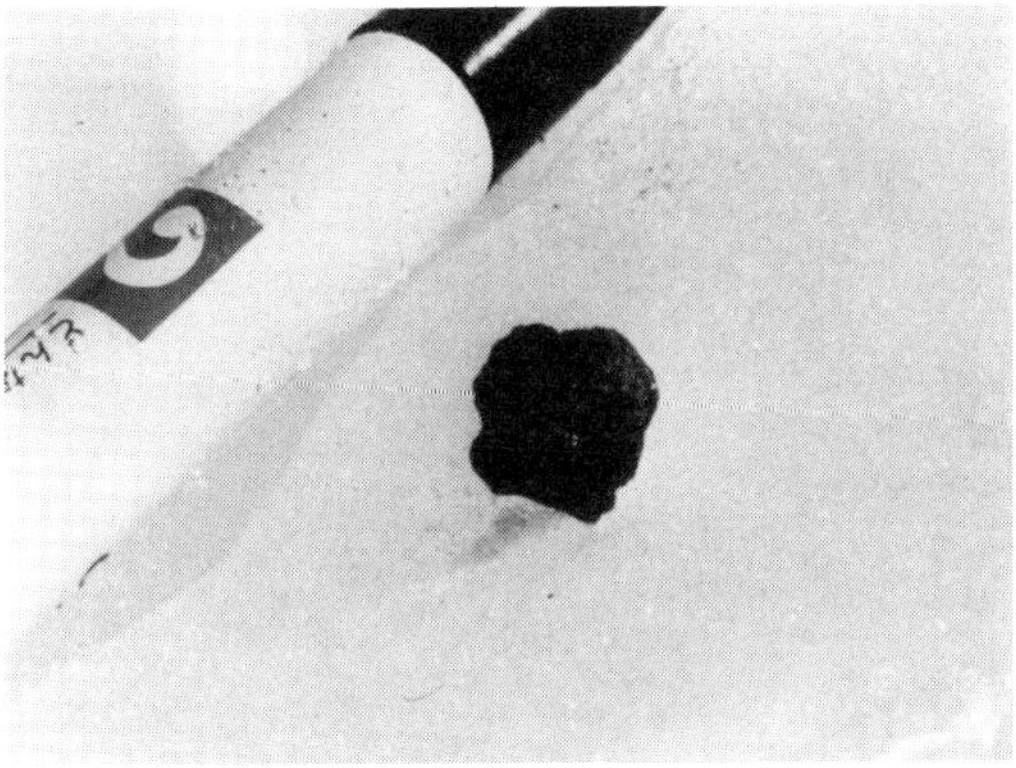

南極で採取された隕石。隕石の価値は大きさでは決まらない。小さな隕石でも重要な情報を含んでいる

私が南極観測の計画立案に従事していたころのことです。隕石研究者たちはもっと隕石が欲しいと要望するのです。隕石を研究試料として使いたいという研究

者は多いのですが、では自分で南極まで隕石を探しに行こうとする研究者はそれほど多くはいませんでした。

研究者たちの要望は二万個から三万個の隕石があれば、いろいろな種類の隕石が含まれているから、宇宙創造の情報が得られるだろうと云うことでした。そして現在は南極で採集された隕石の数は二万個に近づきつつあります。

得られた隕石は初期処理をして通し番号をつけ、カタログが作られています。世界の研究者たちはそのカタログから、自分の研究に適する、あるいは研究テーマに沿った隕石を探し出し、試料をもらいたいと申請を出します。極地研究所の中にできている隕石配分委員会が、すべての申請書を検討し「私的な標本にする」というような、おかしな申請以外は、公平に研究者に試料を提供しています。

南極隕石はアポロ計画で持ち帰られた月の石と比べ極めて安く宇宙物質が得られるのです。日本が所有する南極隕石の中には月起源や火星起源の隕石も含まれています。これだけ大量の隕石が採集できただけでも日本が南極観測を実施している価値があると、高い評価が得られています。

でも出ない　天地創造の　大成果

南極隕石の発見、収集は南極観測の中でも特質に値する大成果でした。観測を始めた頃は南極にそんなに大量の隕石が存在するとは誰も考えていませんでした。大量発見がなされ、なぜ南極で大量の隕石が発見されるのか、その集積メカニズムが考えられました。隕石は地球上へはどこへでも同じように落ちてくるはずです。

南極大陸では氷や雪の上に隕石は落下しますので、落ちた隕石は雪面上には残らず少しずつ雪や氷の中に沈んでいきます。ですから南極氷床の中にはポツリポツリでしょうが隕石が含まれています。そして氷床は隕石を内部にとらえたまま、大陸沿岸部へと流れていきます。多くの氷床はそのまま海に流れ出ていき、氷山となって漂流し消滅します。含まれていた隕石は海底に残っているでしょう。

余談ですが、私は南極大陸周辺の海底は世界でも隕石が眠っている割合が高いと推測しています。ただそれを証明するのは難しいです。

それはともかく、氷床が流れていく先に高い山脈があったらどうなるでしょうか。氷床全体が山に向かってずり上がっていきます。すると周囲からやや高まりを増した雪面は強い風を受けて、雪は飛ばされ氷が露出し、その氷も風に削られ、磨がかれつるつるになります。その状態がブルーアイス、裸氷です。ブルーアイス帯あるいは裸氷帯では氷が削られて氷床の中に捕らえられて下の方にあった隕石が次々に氷床表面に現われてきます。その中には何万年も前に地球に落下した隕石も含まれます。氷は削られたり、昇華したりして消耗していきますが、隕石だけは表面に残ります。その結果、ブルーアイス上で大量の隕石が発見されたのです。

この隕石集積メカニズムでは、隕石を採集し尽くしたブルーアイス帯でも、何年かたてばまた氷床内にあった隕石が上昇してきて表面に露出してくるはずです。一九八〇年代になって、一九七〇年前後、日本隊が最初に隕石を発見したやまと山脈南側のブルーアイス帯を探査した結果、再び多量の隕石が発見されたので、集積メカニズムは正しいと証明されました。ブルーアイス帯に行けば必ず隕石が発見できるのです。このような結果で、日本は世界でも有数の隕石保有国になりました。

日本隊の隕石大発見のニュースに触発された外国隊も南極での隕石探査を実施するようになりました。しかし、採集した隕石数は日本とアメリカが群を抜いているようです。

二〇世紀の終わりごろだったと思います。イギリスで南極関係の会議が開かれていたとき、アメリカの研究者が、「南極で採集した火星起源の隕石に、生物の痕跡を発見した」と発表し、メディアのトップニュースになりました。しかしその研究はデータの解釈に誤りがあるとされ、騒がれた大発見には至りませんでした。

メディアのトップニュースになるならないは別にして、発見から半世紀近くが経過しているのだから、そろそろ最初に研究者たちが口にした「天地創造の手がかり」の発見ぐらいはなされてもよいだろうと思うのですが、少なくとも私の耳には聞こえてきません。隕石探査の計画立案に苦労した一人として、朗報が待ち遠しいです。

南極の　観測・調査で　満足し

南極観測も還暦を迎えた今日、昭和基地を中心になされている観測や調査は確実に成果を上げていることは間違いありません。しかし、私は各分野ともまだまだその観測・調査の試・資料を十分に研究し尽くしているとは思えないのです。表現が悪いかもしれませんが骨の髄までかじってはいないのです。そこまでやったのなら、なぜもう一歩研究を進めようとしないのだろうと思うことはしばしばです。

大きな研究プロジェクトになると、計画立案からいろいろな意見が飛び出し、批判にさらされます。曰く「その研究の基本理念は何か、どこに意味があるのか」、「その状況で本当に観測ができるのか」などなど、厳しい発言に反論し、ようやく実施できるようになります。

それらのチェックを経てようやく予算が付き、選ばれた隊員とともに資材が南極に運ばれ、観測や調査に着手できるようになります。多くの場合、その観測・調査にもいろいろな苦労が伴います。観測器械が不具合になれば、寒い中で修理しなければならないこともあるでしょう。そしてようやく一年かけて得られたデータは、観測者にとっても、計画立案者たちにとっても、貴重なデータです。

帰国すれば、彼らはその観測成果をまとめて論文という形で報告します。ところが研究者のほぼ半分以上がその時点で研究がストップしてしまい、その先の「得られたデータを解釈し、新しい自然界のモデルを構築する」ところまで進まないのです。どんな研究にしろ自然科学では、この自然界のモデルの構築こそが、研究の当面の最終目的なはずです。しかし残念ながら多くの研究者が、観測報告で満足しています。

彼らにも同情の余地はあります。計画立案から南極での観測実施まで、いろいろな障害、批判にさらされながら、ようやく観測という目的が達せられ、データが得られたのです。何とか目的の地にたどり着いたという安堵感は理解できますが、そこで満足してしまうのは科学ではありません。

計画段階で厳しい批判をしていた極地研究所の関係者も、観測が無事成功したとの報告を受けると、それ以上のフォローはしません。だから余計当事者たちは、観測報告で終わっていても、平気でいられるようです。私は現役中からこのような状態は「観測ごっこ」と云って揶揄していました。

研究者として、せっかく良いデータを得たのだから、そのデータのすべてを使い尽くす努力が欠けていると云い続けてはいますが、「南極の自然条件は厳しい」という一言で、多くの場合そこで立派に観測できたことに満足し、新しい科学モデルの構築にまで進まないのが残念です。

何故調べない　目の前にある　変動現象

地球上にはいろいろな変動現象が起きています。変動の周期は数分、数時間、数日、数か月、数年などと千差万別です。そんな変動現象の一つが、氷河期と間氷期です。十数万年間の氷河期と数万年間の間氷期が過去二〇〇万年の間に六回は繰り返されてきたことが分かってきました。日本の雪氷研究者たちも、南極大陸内で、三〇〇〇メートルの深さまでの氷床掘削に成功し、気候変動の解明に貢献しています。

南極観測が始まったころ、南極観測に参加している国々の大きな関心は、南極氷床の量はどのくらいか、そしてその氷は増えているのか、減っているのかということでした。地球温暖化が心配され始める一〇年以上も前の話です。

日本の研究者たちも「東クィーンモードランドの氷の収支」というような研究テーマで、昭和基地の南に広がるみずほ高原で調査を繰り返しました。昭和基地の南三〇〇キロに、みずほ基地を建設し、調査拠点としました。雪氷面の高さを測定したり、氷の厚さを測定したりと努力は続けていましたが、氷が増えているのか減っているのかの明確な結論は得られませんでした。

私はそのころ、氷の収支をみるなら、「しらせ氷河からの毎年の氷の流出量を調べたら」と提案しました。現在でこそ人工衛星の写真から、しらせ氷河から流れ出る氷山量は、推定可能ですが、一九七〇年代は毎年、航空写真を撮影して推定しなければならない手間のかかる仕事で、労多くして得るものが少ない仕事でした。また一人の研究者が「昨年のしらせ氷河からの氷の流出量はこれだけ」と報告しても、多くの研究者は「それがどうした」という程度の関心しか持たれませんでした。変動現象を解明しようとする姿勢があるかないかですが、労多くしてあまり評価がされない研究を片手間にでもやろうとする人はほとんどいませんでした。そして多くの研究者は解明に時間のかかる変動現象を調べようとする気も起らなかったようです。

しかしもしあのころから、昭和基地で雪氷グループの定常的な観測として、しらせ氷河からの年間の氷の流出量を測定していたら、地球温暖化に対して「南極氷床はこんなふる舞いをしている」と明確なメッセージが出せただろうにと残念です。

現在では人工衛星からの情報などで、より容易に、しらせ氷河からの年間に流れ出る氷の量を測定し続けることができると思うのですが、関係者にその視点がないようです。

同じようなことはペンギンの数の調査にも云えます。昭和基地付近でも夏になると北の海からアデリーペンギンが戻ってきて営巣します。ペンギンの営巣地をペンギンルッカリーと呼びます。日本の生物の研究者たちも昭和基地周辺のペンギンルッカリーで例年ペンギンの数を数えているようなのですが、少しも毎年の数の変化が示されませんでした。ペンギンの研究者たちに「どうしてペンギン数の毎年の変化を図示しないのか」と質問しても明確な答えが返ってきませんでした。ペンギンの数を変動現象として考えることに気付かなかったようです。

一九九〇年ごろの事でした。ニュージーランド隊からの報告で、「近年ペンギンの数が増加している。それは温暖化によって餌が増えたからだと思われる」という発表がなされました。ロス島バード岬のペンギン数が急増したという報告です。バード岬のアデリーペンギンは三万羽の大ルッカリーを形成しています。彼らの報告では、温暖化でペンギンの餌になるナンキョクオキアミが増え、餌が豊富なためペンギンの個体数も増えたとの報告でした。この発表の真偽は別にし

海氷上のルッカリーのコウテイペンギンセンサス。飛行機から撮影したこの写真を拡大して、一個体ずつ数を数える。手前や右上の黒い固まりのほか、点々と見えるのがペンギン

て、私は我が意を得る思いでした

その後のことについては知りませんが、地球上の変化を知る一つの事象であることは確かでした。残念ながら少なくとも当時の日本の研究者たちには、そのような視点はありませんでした。変動現象はどこにどんな影響が出るか分かりません。したがって気が付いたことは、あるいは記録ができそうなことは個人的興味は別にして確実に記録に残しておくべきであり、それが昭和基地で研究する者の務めでもあるのです。

一九八〇年代ごろから昭和基地でも動物センサスというタイトルで、ペンギンやアザラシの数を数えていました。しかしその結果はなかなか報告されませんでした。その数の調査には専門家だけでなく、ほかの分野の隊員も協力しているのです。およそ一〇〇〇羽のアデリーペンギンのいるルンパ島は、昭和基地の南一〇キロに位置しています。一一月頃になると日曜日などにはペンギン見物の遠足に行ったりします。そん

な時に生物の専門家が居なくても、みんなで協力してその時のペンギン数を数えて、担当者に報告します。

22次隊で私が越冬した時は航空機も越冬していたので、西に三〇〇キロ離れた海氷上のコウテイペンギンのルッカリーまで飛び、数を数えていました。空から写真を撮り、基地に帰りその写真の拡大プリントを作り、一羽、一羽、写真に針で穴をあけて数を数え、担当者に報告したこともあります。

そんな苦労をして数を数えて報告するのも、昭和基地での観測は国家事業として税金で行われており、限られた人数で観測調査をする以上は、皆で協力して成果を出したいからです。皆の協力があるのに、「ペンギンの数の年変化」というような報告が出てこないのが不思議でした。

南極観測に参加できる研究者の数は限られています。日本隊の場合同じ人が連続して何回も南極に行けるような状況ではありません。そこで簡単なことなら「日本南極観測隊の定常観測」あるいは「昭和基地近傍のモニタリング観測」という視点で、しらせ氷河からの年間流出量や毎年のペンギンの数を数えればよいのです。一年一年では大した成果ではありませんが、「継続は力なり」で五〇年、六〇年のデータの蓄積により、見えてくる現象があるのです。

すべての学術分野が細分化されすぎ、研究者の視点が深くなることは良い事ですが、あまりに視野が狭くなりすぎているのが現状です。南極に行く人は視野を広く、すべてに好奇心を持って欲しいと願っています。

掘削で　環境変化　解明す

一九七七年の事でした。フランスで開催された国際会議に出席中、突然日本の雪氷学の大御所から「あした雪氷グループの話し合いがある。自分は他の会義があるから出られない。君は極地研の人だから、情報収集をしてきてくれ」と頼まれました。日程のやりくりをして出席してみると、正式名称は忘れましたが、当時の国際雪氷学会の「深層掘削」に関する作業委員会でした。

会議の冒頭に責任者が「今日はオブザーバーとして日本の極地研究所のカミヌマが出席するがよろしいか」とまず私の出席に関する了解をとってから、会議が始まりました。四〇年以上も前の話で、どんなことが議論されたか詳細は覚えていませんが、フランスやロシア（当時はソ連）、アメリカなどが、南極氷床で計画している、柱状の氷の標本を採取する深層掘削が話題の中心でした。

一九六〇年代にアメリカはバード基地で、すでに二一六四メートルの深層掘削に成功していました。氷床表面から底部の岩盤までの全層掘削を成功させ、底部の氷は七万五〇〇〇年前に積もった雪が氷化したものでした。その氷の試料の酸素同位体の解析から、現在から七万五〇〇〇年前までの、バード基地付近の気候が解明されました。その結果、北半球で解明されていた氷期と同じ時代には、南極でも寒く、氷期と云うのは全地球的に同時に起こっていることが明らかになったのです。そして各国協力して、より深い深層掘削をどのようにするかを話し合うことが、会議の目的でした。

そのころの日本の雪氷研究者たちは、南極でようやく数百メートルの掘削に挑戦していたころでした。11次隊で開設したみずほ基地で、実施されている数百メートルの氷床掘削が、日本南極観測隊の話題でした。南極観測が始まって二〇年が経過したころですが、まだ日本の雪氷学の実力はその程度でした。

その後、掘削機械の改良を繰り返し、三〇〇〇メートルの掘削が可能と判断し、一九九五年から、昭和基地の南一〇〇〇キロの地点にドームふじ基地を建設し深層掘削に挑みました。ドームふじ基地は南緯七七度二二分、東経三九度三七分、標高三八〇〇メートルです。ドームふじ基地建設の場所の決定から、資材の運搬、基地建設などに五年の歳月を費やし、一九九五年に36次隊によって掘削が始まりました。

一九九六年一二月八日、37次隊によって、当面の目標の二五〇〇メートルを超える二五〇三メートルに達し、一つの目的を達成しました。この時の最深部の氷は三四万年前の氷と推定されました。そしてその二五〇〇メートルの氷柱試料には過去三回の氷期と三回の間氷期が含まれています。

さらに掘削機の改良がなされ、二〇〇五年47次隊により掘削を開始しました。そして二〇〇六年一月二三日、三〇二八メートルを掘削し、南極大陸の基盤に到達することに成功しました。底部の五〇〇メートルの厚さの層には氷の自重で圧縮され、三〇~四〇万年分の氷が詰まっています。最底部の氷は七二万年前の氷と推定されています。この掘削成功により、七二万年前から現在に至る、それぞれの時代の地球上の気候を読み取れるようになりました。

日本の雪氷研究者たちは次の計画として、一〇〇万年前までの氷を採取すべく検討を始めています。メディアは「新しい基地の建設」「一〇〇万年前の氷採取」などと、心地よいフレーズを並べて宣伝してくれます。しかし私は、この姿勢に疑問を持ち続けています。日本をはじめとして、外国隊の掘削試料を含めると、すでに南極大陸内で数本の深層掘削の資料が得られています。彼らはそれを使ってなぜ地球上の気候変動の新しいモデルを提唱する研究をしないのかという素朴な疑問です。

もちろんそんな疑問を呈すると、彼らはそのような研究をやっていますと答えるでしょう。しかし、それは得られた試料を解析して整理した程度のものにすぎないのです。新しい気候変動のモデルとして、南極からの新しい知見の発信ではありません。少なくとも新しい南極研究には注意をしているつもりの私の耳には入ってきません。試料さえ得られれば、その試料の解析に対しては、新しい知見は必ず得られます。しかし本当の研究はその得られた知見を使ってその分野に応じた新しいモデルの提出なのです。そのモデルの構築には、相当の努力がいるかもしれませんが、それこそが本当の研究で、得られた試料の解析だけでは「観測ごっこ」と揶揄されても仕方ないと覚悟すべきです。

この点、南極観測のリーダー的な役割を担うべき人からも、「百万年前の氷」という、心地良い言葉だけが出ることがすごく気になります。そのような立場の人こそ研究の何たるかを理解したうえで発言して欲しいのです。

昭和基地　いつの間にやら　後を追い

日本の南極観測への参加は、すでに述べたように一九五七年のＩＧＹからでした。一九六一年には南極条約が締結され、南極は自然科学の調査研究の場であるとともに、外交の場にもなりました。南極関係の国際会議は科学者の集まりであるＳＣＡＲ（南極科学研究委員会）と南極条約協議国会議と呼ばれる、外交官が主体となる会の二つが頻繁に開かれるようになりました。

一九八〇年前後には、日本と同じく第二次世界大戦でアメリカ、フランス、イギリスなどと戦ったドイツやイタリアも南極観測に参加してきました。そしてアジアからは、インド、中国、韓国も南極に基地を持つ国となりました。

一九八一年一月の事だったと思います。私は22次隊で昭和基地に入っていました。当時の観測船ふじも昭和基地の近くまで進入し、物資の輸送体制を整えていました。昭和基地へ輸送開始の打ち合わせで、ふじの艦長や副長など幹部も昭和基地に来ていたときのことです。ふじから突然連絡があり、インドの観測隊のヘリコプターがふじに飛来して、着艦したとの報告が届きました。

私たちもインドが南極観測を始めること、昭和基地の西一〇〇キロから一五〇キロ当たりの地点に基地を建設するらしいとの情報は知っていました。しかしまさかそのヘリコプターが昭和基地の近くまで来るとは想像もしていませんでした。ふじは艦長不在の中、インドのヘリコプターに襲われたと笑い話になりました。着艦したヘリコプターは挨拶をするとすぐ飛び立ち、ひと騒ぎはさせられましたが、それで終わりでした。私たちの頭には「昭和基地の西隣はインドの基地」が刷り込まれました。

インドは以来今日まで観測を継続し、国内的には南極研究の中心となる研究センターもゴアに建設されました。南極大陸には、昭和基地の東になるアメリー棚氷付近にも第二の基地を建設しています。

インドが南極観測を始めて数年が経過したころの話です。インドの南極観測の推進機関の一つである地球物理研究所の所長は私の研究者仲間で、会うたびごとに情報交換をしていました。インド人にはベジタリアンも少なくありません。南極の食事は隊員の大きな楽しみです。でもベジタリアンがいたらどうなるのか興味がありましたので聞いてみました。彼の答えは明白で、ベジタリアンは隊員選考の時に落とし、南極には連れて行かないという事でした。

一九八〇年代半ばには中国、韓国も南極半島の近くのキングジョージ島に基地を設け、越冬を始めました。中国は長城基地、韓国は世宗（セジョン）基地です。私はその初期の段階から情報提供を求められ、交流を続けていました。キングジョージ島には多くの基地が建設されているので、両国の基地の存在価値は高くありませんでした。

そんな事情があるので、一九九〇年代には中国は中山基地をアメリー棚氷付近に建設しました。その時、中国の関係者から相談を受けたのは、予算がないので中山基地には地震計が置けない、どうするのが良いだろうかという事でした。私は長城基地の地震計を撤去して、地震観測点の少ないアメリー棚氷の基地へ置いたほうが良いと助言したことがありました。

また韓国も二一世紀になって、ロス海のテラノバ湾に新しいジャンボゴ（張保皐）基地を建設しました。外観も、基地内の設備も、例えばウォシュレトのトイレのように充実していて素晴らしい基地です。近くにはメルボルン火山もあり、研究する場としても科学的興味のある場所です。アジアでは南極観測先進国で、何かと指導的な立場だった日本ですが、気が付いたら、インド、中国、韓国とも、常時二つの基地を有する国になっていました。

もちろん日本の観測隊も、近年のドームふじ基地、二〇世紀後半のあすか基地、一九七〇～八〇年代のみずほ基地と、昭和基地の二つを維持してきた経緯があります。それはそれぞれの基地に設置の目的があり、例えば深層掘削をするからドームふじ基地を建設して、掘削中は使用しましたが、掘削が終了すれば閉鎖しています。日本南極観測隊の観測基地はあくまで昭和基地がメインです。しかし、アジアの南極後発国すべてが、二つの基地を維持する時代になったのです。

もちろん、南極観測は基地の数ではなく、同じ観測を継続することと、新しい科学的成果を出すことに意義があります。しかし、二つの基地を常時維持することは、専用の南極観測船も必要です。経費もかなり掛かるでしょう。予算も含め、国家として南極観測をどのように運営していくかのはっきりしたビジョンがあるからこのような形になったと推測できます。この点、いつの間にか日本は後進国になってしまったという気持ちで、残念です。

第4章　自然

一日中太陽の沈むときが無い「夜の無い季節」、一日中太陽が現れない「極夜」、どちらもそれまでは日本人が経験した事の無い世界でした。昭和基地での越冬が進むにつれて、日本の南極観測隊も極地の自然への知見が増えてきました。手探りで始めた南極観測ですが、今日ではそこに発生するいろいろな現象も理解し、対処できる力がついてきました。日本にはない環境を深く理解するためにも、南極の自然の解明とそれへの適応は今後も続けるべきことです。

寒くても　四季を感ずる　昭和基地

雪と氷の世界の南極を冬だけの世界と思っている人は多いでしょう。気温だけをみても、昭和基地のこれまでの最高気温は一月に記録されている一〇℃で、もっとも暖かい一月でも日本の気温と比べれば、東北地方の最寒月の一月とほぼ同じ程度なのです。昭和基地の一月の平均気温がマイナス〇・七℃でマイナス〇・四℃の山形市とほぼ同じです。盛岡市や青森市、さらには北海道の各都市の気温は昭和基地よりは低いです。日本人の感覚からすれば最暖月の一月でも昭和基地は真冬なのです。

しかし、南極の露岩地帯では夏の季節には、気温は氷点下でも強い日差しによって雪や氷が融かされ、小さな流れや水たまりができます。流れのたもとには緑のコケの群落すら出現するのです。

露岩地帯ばかりではありません。南極大陸の雪の斜面でも、表面が融けて、雪面の上を大きな流れとなって、音を立てて流れ下っています。

南極に起こる大小の自然の営みを見ると、そこにはやはり春の息吹があり、夏の日差しがあり、秋の落日があります。荒涼とした冬だけの世界ではなく、四季があるのです。私は南極の四季は次のように分けられると考えています。

春　一一月〜一二月初旬
夏　一二月初旬〜一月中旬
秋　一月中旬〜二月中旬
冬　二月中旬〜一〇月

極夜が過ぎ、白夜の季節となる一〇月は、気分的にはかなりの解放感を味わいます。「冬きたりなば　春遠からず」ですが、一〇月になってもブリザードは毎年二〜三回は襲来しますのでまだ春の実感はわきません。

極夜よし　白夜の説明　できぬ隊員

南極には極夜と白夜、さらに夜の無い季節があります。極夜とは太陽が一日中地平線や水平線上に出ることのない、いわゆる夜の季節です。緯度が六六・五度より高緯度の地域では、南極でも北極でも少なくとも一年に一日は太陽が一日中現われない日があり、そのような季節を極夜と呼んでいます。同じように一日中太陽が沈まない日、つまり「夜の無い」季節も出現します。この程度の事は観測隊員になれば皆知っていると思います。

「極地」を厳密に定義すると、この極夜と夜の無い日が現われる地域となります。しかし南極に関しては、南極条約が南緯六〇度以南に適用されています。すると南極大陸全体が含まれます。ですから北極は北緯六六・五度以北を指しますが、南極は南緯六〇度以南と説明するのが良いのです。

極夜の説明はできても白夜になると彼らの知識は怪しくなります。観測隊員ばかりではありません。メディアのレポーターも同じで、夜になっても空が明るければ「白夜」を連呼します。「白夜」は「ビャクヤ」あるいは「ハクヤ」と読みますが、太陽が地平線や水平線の下に隠れていても、まだ明るい状態を指します。いわゆる薄明です。薄明は地平線や水平線の下にある太陽の光が、上層にある大気や微細な浮遊物質によって散乱されて起こります。

昭和基地では一二月初旬から一月中旬ごろまでは太陽は沈みません。夜の無い季節です。夜一〇時、一一時になっても明るいのです。太陽が沈まないのだから明るいのは当たり前ですが、この時、昭和基地に着いた観測隊員は「南極の白夜」を経験したと思ってしまうのです。薄明で明るいのではなく太陽が出ているのですから、白夜ではありません。

毎日の日の出は太陽の頭が地平線や水平線の上に、ちょっと出たところで始まります。逆に、太陽の上端が地平線や水平線の下に隠れた瞬間が日の入り（日没）です。日の出から日の入りまでが日中になります。

真夜中の一二時ごろ輝いている太陽はヨーロッパの北の国々でも見られますが「真夜中の太陽」と呼び、珍しい光景として、絵葉書にまでなっています。真夜中に太陽が出ている時は「夜の無い季節」です。この状況は「白夜」とは呼ばず「夜が無い」あるいは「真夜中でも太陽が出ている」と表現すべきなのです。

丁度よい　日の出と錯覚　一〇時の目覚め

極夜のころ、つまり一日中太陽が出ない季節、昭和基地は二四時間真っ暗なのではと心配してくれる人がいますが、実際はそうでもないのです。昭和基地で太陽が真北に来る時間、つまり太陽の北中時は一二時二〇分ごろです。北半球の夏至のころ、南半球では冬至ですが、そのもっとも暗い時間の長いころでも、一二時二〇分前後のそれぞれ一時間半ぐらいは薄明で、ライトなしで外を歩けます。ですから外回りの仕事も、毎日この時間帯にやります。

もっとも明るい一二時ごろは、屋外で本が読める程度の明るさがあります。しかし、寒いので誰も屋外で読書しようとする人はいません。

昭和基地の生活規則は各観測隊ごとに相談して決めますが、ほぼ毎年同じです。例えば朝食の時間は七時から八時、昼食は一二時から一三時、夕食は一八時から一九時ぐらいに定めます。この時間を極夜になると昼食を一四時とか一四時三〇分からに変更します。それに応じて朝食や夕食の時間も変更します。昼の明るい時間を有効に使うために、生活時間をずらすのです。

外が明るいといっても、日本の日没後の感覚ですから、それほど明るいわけではありません。ただ昼頃になると天気さえ晴れていれば北の空がボーッと日の出前のように、あるいは夕焼けのように赤く染まります。そのまま太陽が現れることなく夕闇が増し、一五時には満天の星が輝きます。活動の激しい時にはオーロラも現れます。

私が初めて越冬したときのことです。もうオーロラ観測の始まっていた四月二九日、昭和時代は天皇誕生日でした。昭和基地では越冬が始まれば原則的にはカレンダー通りの生活をしますから、日曜や祝日は休日日課です。休日日課になると朝食は用意されず、ブランチと呼ばれる朝昼兼用の食事が、一〇時頃から供される場合が多いです。そのような習慣は7次隊や8次隊のころに、つまり私が最初に越冬したころから始まりました。

すでにオーロラ観測を始めていますから、私は朝の五時から六時ごろに寝ていました。起きるのは昼近くですが、その日はたまたま一〇時頃に目が覚めたのです。すると丁度その時東側に面した小さな窓から朝日が差し込んできました。日の出の時間でした。

まだ越冬が始まって二カ月過ぎたころです。夜勤を始めてから一カ月ほどでした。ですから日本にいたときの目覚めの時間、午前六時ごろの日の出と錯覚してしまい、「ちょうど起きる時間だな」と思ってしまいました。

このように昭和基地ばかりでなく、南極のどこの基地でも同じですが、日の出、日の入りの時間は、日々どんどん変化しますから、太陽の動きにとらわれていると、時間感覚が大きく狂ってしまいます。しかしそれも、極夜を迎える頃になるといつの間にか、太陽の動きで時間を知ろうとはしなくなっている自分に気が付きました。

秋の雪　踏み跡だけが　白くなり

一二月から一月の昭和基地ではブリザードはほとんど襲来しません。曇天で、小雪がちらつくことはありますが、積もることもほとんどありません。ところが二月に入ると天候は急速に悪化します。特に二月下旬には、地面は全て雪で覆われることがあります。夏の間、強い日射で乾燥してカラカラになり、黒っぽくなっていたコケ類が覆っていた岩肌も白一色で、美しくなります。ところがその美しさも短い間で、朝雪が積もっていたと思っても、昼にはほとんど消えてしまいます。秋とはいっても二カ月間の長期の乾燥で、雪は瞬く間に昇華してしまうのです。再び汚い地面が露出してしまいます。

そんな中で、一本の白い線が残ります。人が踏み固めた道です。日本では（少なくとも関東地方などでは）積雪の中、人が通った跡だけは、雪が融かされて茶色や黒の一筋の道になりますが、昭和基地では全く逆で、人の通ったところだけ雪が残るのです。踏み固められた雪は昇華しにくいのです。

雪が降っても風で吹き飛ばされ、なかなか積もることはありません。基地内の岩の丘も積雪があったほうがきれいに見えるのですが、なかなか思うようにはなりません。寒さが増し飲料水にしていた池も凍結し、ふじの時代までは、飲料水、生活水に困ったのが、二月末から三月にかけての季節です。

基地の建物周辺に積雪ができるまでは、水汲みの苦労をしました。その時期は越冬が始まった直後の二〜三週間です。しかしブリザードが吹き始めると基地の周辺にはすぐ雪の吹き溜まりができてしまうのです。現在は池の水が確保され、水に困る話は聞かなくなりました。しかし昭和基地で使う水は池の水、氷山氷、そして積雪であることには変わりありません。

二月も末になるとそろそろ夜も暗くなり始めます。「明るさの残る空に雲が出ていたので、見ていたらなんだか動き出した」などと夕食後の話題になります。越冬経験者が「それはオーロラだろう」という事で、いよいよ冬が始まるのだと身が引き締まる感じになる人が多いです。

越冬が始まって最初に見えるオーロラはほとんどが、白っぽい雲のように見えます。躍動的なオーロラは、その白っぽいオーロラをバックに現れるのです。夜が暗くなり始めるとオーロラ観測の人たちは夜勤を始めます。

昭和基地で夜も仕事をしなければならない人は、気象観測、オーロラ観測、通信、そして発電機や水回りの監視を続ける機械担当者などです。基地ではいつ何が起こるか分かりません。火災の心配もあります。このような夜勤の人が居て、複数の目で常に基地内を見守り、安全が確保されています。

1981年5月25日に撮影した昭和基地の転がる太陽。画面右（東）から左（西）へ移動した

大騒ぎ　転がる太陽　写すため

昭和基地で極夜が始まるのは六月一日ごろです。その一週間ほど前の五月二五日頃の太陽が出ている時間はおよそ一〇〇分間ぐらいです。三脚につけたカメラを真北に向け、この一〇〇分間に一〇分間隔でフィルムを巻き上げることなく、同じフィルムの上に太陽を写しこんでゆくと、一枚の写真の上に一一個の太陽が並びます。

日の出から日没まで、太陽が地上すれすれに転がるように動く様子が一枚の写真に記録されるのです。その高度の低い太陽を「転がる太陽」と呼んでいました。初めて越冬する人たちは過去に撮影された転がる太陽の写真を見て、自分も何とか良い映像をとろうと頑張るのです。

写真撮影のシャッタースピードはどうするか、フィルターは何色が良いかなど、あちらこちらで議論が交わされます。これらはすべてフィルムカメラの時代の話です。

ディジタルカメラ全盛の今日、転がる太陽を撮影できる機能がどのカメラにでもついているのかどうか私は知識がありません。ディジタルカメラはフィルムカメラに比べて格段の進歩をしています。ただあまりにも進歩しすぎて、言葉は悪いですが「バカチョン」になりすぎて、写真撮影の面白みが半減しているのではと感じます。

太陽が　上下に動く　越冬明け

昭和基地で極夜が明けるのは、計算では七月一三日ごろです。ただその計算には上層の気温を予想して入れてあります。その値は昭和基地の高層気象観測のデータから予測しますが、時には予想よりも大きくずれます。空気中を伝わる太陽の光は気温によって屈折の仕方が異なります。また天気が悪れば太陽は現れません。七月に入ると太陽がいつ見えるか、つまり極夜がいつ空けるのかが話題になります。

私が経験した極夜明けの出来事です。七月一三日から三日間、天候が悪く太陽を見ることができませんでした。一六日も北の空は雲が多く霧もでて、太陽は見えそうではありませんでした。ところが一二時ごろ突然雲の間から赤い太陽が半分ほど見えました。しかし北の水平線ぎりぎりの高さのはずが予想よりもはるかに高いのです。望遠レンズのついたカメラを向けると、ファインダー越しの太陽は、ゆらゆらと揺れ、上下に動き、形もいびつに変化し、時には三角になりました。

明らかに蜃気楼の太陽なのです。太陽の位置は水平線の下ですが、上空に差した光が屈折して地上に達したのです。上空の風の影響でしょうが、気温が時々刻々と変化するので太陽の形がそれに応じて変化したのです。

極夜明けのころに見られる現象に、太陽が水平線上を出たり下がったり、見ている間に上下に動くという珍現象もあります。日の出と思って見ていたら、太陽が沈んでしまった。しばらくしたらまた出てきたとぼやく人が居ます。これも上空の気温の変化がなせる技です。地平線や水平線のぎりぎりのところに太陽があるときに見られる現象です。一体いつを極夜明けとするんだとの議論が続きます。基本的には太陽が初めて見えたときと云ってよいでしょう。

海氷に　氷山　オーロラ　冴えわたる

昭和基地での越冬の楽しみはオーロラを見ることです。自然現象でもっとも美しいのはオーロラと火山噴火だと云った研究者がいます。私もこの二つの現象を何回も見ましたが、地球規模で見れば火山噴火は点の現象、オーロラは面の現象です。スケールの違う現象ですから火山噴火と比較しては、オーロラに失礼だと私は云っています。

昭和基地では、動きが激しく色もきれいなオーロラはほとんど南東側から近づき北西側へと抜けていきます。基地の建物は東オングル島の北の斜面に並んでいますので、北側が海に面しており東側はオングル海峡をはさんで南極大陸へと続きます。したがって基地周辺では北側の海氷原や東側のオングル海峡に、氷山があることが多いです。

オーロラの写真を撮るとき、研究用の記録写真は、主に建物群の南側にカメラを据えて撮りましたが、（センスが良い悪いは別にして）少しは芸術的な写真を撮ろうと思ったときなどは一〇〇メートル以上歩いて海氷上に三脚を立てカメラを東側から南東側にむけてセットします。このようなアングルですと、オングル海峡に氷山がある場合には、オーロラ、氷山、大陸斜面、さらには月などが一枚の画面に収まります。

しかし実際は記録写真重点なので、海氷上まで歩いて行くことはほとんどありませんでしたが、数回は良い写真が撮れました。

フィルムカメラの時代にはオーロラ撮影は大変な仕事でした。ところが現在はスマートフォンのカメラで、オーロラに関して特別な知識が無くても、簡単にオーロラの写真撮影ができる時代になりました。それはスマートフォンで使える、オーロラ撮影用のいろいろなアプリケーションが出ているからです。このようなアプリケーションを使うと、自分の居る場所で何時ごろどの方向にオーロラが見えるかということまで、教えてくれます。オーロラアラートなどと呼ばれますが、北半球でオーロラ観光に行く場合には必携のアプリケーションと云えるでしょう。

雪原に　昇る満月　オーロラも

昭和基地では基地でオーロラを撮影すると基地内の建物や周辺の丘なども画面に入り込みます。写真としては単なるオーロラだけよりも、地面が入ったほうが構図としてはバランスも良いです。ちなみにオーロラの写真で木々や林、あるいは明かりのついた家などが写っているのを見られたことがあるかもしれません。これらの写真は全て北半球（北極）で撮影されたものです。南極には木や林は存在しません。またオーロラを観測している基地では、観測に支障があるので建物の外に明かりが漏れないように注意しています。いわゆる灯火管制です。

雪上車に乗って泊りがけの観測調査で、南極大陸を旅行しているときは事情が違います。大陸内はほとんど見渡す限りの雪原、氷原が広がっています。地球が丸く見えます。たまたま九月の満月のころに内陸旅行をしたときのことです。雪原の彼方に満月が昇ってきました。しばらく見とれていて気が付いたら、頭上にはオーロラが乱舞していました。私には忘れられないオーロラ出現の光景の一つでした。

オーロラは地上八〇～一二〇キロぐらいの高さに出現しますが、時には二〇〇キロの高さにも達します。また水平方向には一〇〇〇キロから五〇〇〇キロに広がります。オーロラの出現高度が一〇〇キロ程度であるのに対し、月ははるか彼方にあるわけです。

しかし雪面上に現れた十五夜の月は、堂々としていてその上に出たオーロラを背景に神々しい姿を見せていました。月とオーロラの位置関係からは、月の前面でオーロラが乱舞すれば、月の光はオーロラにさえぎられることになります。毎日の観測の中では、そのような光景もありました。

私がたまたま見た十五夜の月は、地平線上に出たばかりでしたから、真ん丸で大きく見えたのです。そして天頂にはオーロラが何条もの紅い色を上から下へ走らせながら、カーテンがゆらゆらと揺れるように輝いていました。まさにオーロラのカーテンが開いて満月が現われた光景でした。

　オーロラ撮影のバックグラウンドに、どのような具合に星座を配するかも、気を遣うポイントです。オーロラが星座と重なれば、星座は明瞭には写りません。南半球の星座と云えば南十字星です。南十字星はそれほど大きな星座ではありませんので、かなり容易にオーロラ写真に写しこむことができました。オリオン座の三つ星も同じでした。

　日本で見られるさそり座は南の水平線に横たわる夏の星座です。私のさそり座に対する感覚を大きく変えたのが、南極で見たさそり座でした。昭和基地でもかなり大きな星座であることは分かっていました。南側に出るさそり座はオーロラを写真撮影するときに一緒に写しこむ良い被写体、一つの指標になる星座でした。

　南十字星もまた指標として使えました。南十字星はどちらかと云えば天頂近くに見えることが多かったので、コロナと呼ばれる形のオーロラ撮影で、カメラを天頂に向けたときは、よい指標となる星座です。そのほかのオーロラの時は南側にあるさそり座を写しこむことが多かったのです。

　内陸氷原で見たさそり座は尾部のS字状が天頂近くにありました。そこから南西の地平線に向かって胴体からさらに爪が延びて、その先端は地平線近くまで達していました。サソリの心臓部に当たる赤いアンタレスは地平線から三〇～四〇度ぐらいの角度の所に位置していました。

半天を覆うさそり座の迫力に、しばし息をのんで眺めていました。「息をのむ　雪原に垂れるさそりの爪」でした。南極生活では南十字星より心に残った星座です。

海氷の　ペンギンの列　春近し

昭和基地で越冬を始めた頃には、海氷上に見られたアデリーペンギンも三月には完全に姿を消していました。それから八カ月間、ペンギンは北の海のどこかで冬を越しているのですが、その生態は分かっていません。一〇月下旬ごろになると、海氷上で仕事をしていた隊員から、ペンギンらしき姿を見たという話が出るようになります。はっきり分かっているわけではありませんが、最初に姿を見せるのは、単独で偵察しながら戻ってくるペンギンのようです。

そのうち一列縦隊で海氷上をよちよち歩くペンギンの行列が見られるようになります。一つの行列は一〇羽ぐらいから最大五〇羽くらいの集団です。

海氷上を一列でよちよち歩いているのを見とれていたところ、リーダーらしき先頭の一羽が突然腹ばいになり、足で氷をけりながら、腹を氷の上に滑らせて、進みだしました。するとそれに続いて、前から順番に、腹ばいになり結局、全部が腹ばいのまま行列を乱すことなく南の方に進んで行きます。昭和基地の一〇キロから二〇キロ南には数カ所のペンギンルッカリー（営巣地）があります。そのどれかを目指すのでしょう。

このペンギンの姿が見られると、ようやく冬が終わったのだという気分になります。「ペンギン来れば、春近し」と実感させられます。

ルッカリーに到着したペンギンはすぐペアで巣作りを始めます。巣作りといっても材料は小石です。露岩のあちこちに小石を円形に置いた巣が作られます。最初から新しく作ることは稀なようで、ほとんどは前の巣を補修するのです。毎年同じペアが同じ巣を使うという話を聞いたこと

ルンパ島のアデリーペンギンのルッカリー（営巣地）

アデリーペンギンは２個の卵を抱卵することが多い

がありますが、それが本当かどうかはまだ確かめられてはいないようです。

露岩地帯でもよい場所と悪い場所があるのは人間社会と同じです。雪融けが進み、雪融け水の流れがあるようなところは、条件が良くありません。そんなところに追いやられるのは若いペアのようです。

巣作りのころのルッカリーは小石の取り合いがいたるところで起こり「グアー、グアー」と互いに威嚇しあう鳴き声があちこちで起こりうるさいです。若いペアは捨てられた古い巣を使ったり、あまり条件の良くない場所に新しく小石を集めて巣を作ります。ルッカリーの周辺の小石はすべて使われていますからほとんど残っていません。はるかに離れた所から一つ一つくちばしで咥えて運んでくるのです。そのような苦労の末、ようやく数十個の石を集め巣らしくなります。ところがその巣からうっかり二羽とも離れたりすると、ほかのペンギンたちがやってきて、瞬く間に石を持ち去ります。

ペンギンが小石を集めて巣作りするのは、卵が転がりださず安定できるのと、水の流れから守

基地内の建物群の奥までやってきたペンギン

れるからだと云われています。

成鳥のペンギンたちが繁殖に備えて巣作りに励んでいる時期、若いペンギンたちは海氷の上をあちこち歩き回っています。そんな一団が昭和基地にも訪れます。はるか彼方から一列にやってきて、基地の建物の近くまで来ると、解散して三々五々勝手に基地の周囲を歩き回ります。隊員たちもペンギンに見られながら仕事を続けたり、見るために外に出てきたりと、息抜きができます。しばらくあちこち歩き回ったころ、リーダーらしき一羽が、「グアッ」とひと鳴きすると、ばらばらになっていたグループが集まり、リーダーに続いて一列で歩き出します。そしてまた次の興味のある場所に行き同じことが繰り返されるのです。ペンギンは長い時間見ていても見飽きることがないほどですが、ペンギンたちもまた人間を見るのは興味があるようです。

ペンギンの天敵トウゾクカモメは、海岸の砂地の上にポツンと産卵しています。トウゾクカモメには天敵がいないので、まったく無防備な産卵です。そんな場所に人間が近づくと、猛烈に攻撃してきます。グア、グアと威嚇しながら低空飛行で人間に向かってきて、直前でさっと上空へ身をかわし、再び遠方から同じように、襲ってくるのです。時にはつがいの二羽で連続攻撃をしてきます。

初めて経験した時、なぜこのように襲ってくるのか分かりませんでしたが、近くに卵を産んでいたのでしょう。それに気が付いてからは、そのような場所へ行くのを避けましたから、襲われることも少なくなりました。

ペンギンルッカリーの近くの小高い丘の上には、トウゾクカモメの食事場所があります。ペンギンの卵やヒナを捉えると、その場所まで咥えてきて、そこで食べるのです。ですから周辺には卵の殻が沢山転がっています。

アザラシが　泳ぎ教える　開水面

昭和基地周辺でよく見られるのはウェッデルアザラシです。海氷に呼吸孔を確保して、一年中基地の周辺の海氷上で生活しています。しかし五月ごろから九月ごろまでは、海中で生活している時間が多いようで、海氷上ではほとんど見かけません。暖かくてもこの季節の昭和基地の気温はマイナス一〇℃程度で、しばしばマイナス二〇℃を下回ります。海水の温度はプラスです。一メートル以上の厚さの氷の下の海水温度はプラスですから、海氷上とは温度差が二〇℃以上になります。海水中の生活はアザラシにとっては、日本人の感覚では温泉に入っているような感じではないでしょうか。

一〇月頃になるとアザラシは海氷上で昼寝をする時間が増えてきます。そして出産も海氷上で行われます。生まれたばかりの赤ん坊アザラシは身体が「く」の字に曲がりますが、高カロリーの母乳を飲み、一週間もすると、丸々と太って体型は親アザラシのようになります。そのころになると親アザラシが生まれて一〇日か二〇日ぐらいしかたっていない赤ん坊アザラシに泳ぎを教え始めます。

アザラシが集まっているのは、氷が割れ海水が露出している開水面です。幅二〜三メートル、長さ数メートル程度の広さのプールです。その開水面の淵まで赤ん坊を連れて行き、まず自分が飛び込みます。水面から顔を出すとすぐ、赤ん坊に何やら呼びかけます。赤ん坊は動こうとはしません。すると親アザラシは水から這い出て、赤ん坊のそばに行き、また水に飛び込みます。そんなことを繰り返しているうちに、鳥の巣立ちと同じように、赤ん坊は意を決したのか海水へと飛び込みます。

いちど飛び込めばもう「水を得たアザラシ」で、すぐ上手に泳ぎ始めました。ただ水中でも餌をいつごろから獲り始めるのかは分かりません。

子供を水に誘おうとしている親アザラシ。自分は何回も水に入り子供に呼び掛けていた

氷融け　トウカモの水浴び　かもめ池

昭和基地ばかりでなく、アメリカのマクマード基地やニュージーランドのスコット基地など、海に面した基地でもっともよく見られる鳥はペンギンではなくナンキョクオオトウゾクカモメです。通称トウカモはペンギンを空から襲う天敵です。トウカモがルッカリーの上空に近づいてくると、ペンギンたちはいっせいに空に向かって

鳴き始めます。集団で威嚇するのです。

どんなに威嚇されようと、平然とルッカリーの近くに居座り続け、一瞬のスキを見逃さず、卵やヒナを襲います。卵を上手に口にくわえ、近くの高台にまで運び、そこで中身だけを食べるようです。

トウカモは水鳥ですが、どの程度魚を捉えるのかは知られていないようです。現在は南極の各基地では、ごみはきちんと管理されていますから、そんなことは無いと思いますが、私が訪れていた一九九〇年ごろまでは、マクマード基地の食堂の外では、トウカモが残飯の肉や魚をあさっていました。マクマード基地ではよく屋外でバーベキューをします。そんな時誰かが肉を放り投げると、サーッとトウカモが飛んできて素早くキャッチします。昭和基地のごみ捨て場でもトウカモはよく見かけました。

一二月の末にはオングル島に点在する池も、氷が融けて水をたたえ始めます。そんなときでした。東オングル島の最南端で、基地の建物群から南に一・二キロメートルほど離れたかもめ池の水面に、何やら動くものを発見しました。近づいてよく見るとトウカモが水浴びをしていました。日本の野鳥と変わらない姿で、何となくほのぼのとなり、感激しました。考えてみれば当たり前かもしれませんが、南極に生育するトウカモの水浴びは、私にとっては新鮮でした。

日照で　岩のくぼみに　水溜まり

一一月になると白夜になり、ブリザードも少なく、日照時間は合計三〇〇時間を越えます。一日に平均すると一〇時間以上も太陽が輝いています。最高気温は平均でもマイナス七℃程度で決して暖かいわけではありません。そんなときでも強い日射は岩盤を温めるようで、雪融けは進みます。雪融け水は岩盤を濡らします。そしてその小さな湿りが雫となり、岩の窪みに溜まります。岩盤が暖められているのか、少なくとも昼間は凍結しません。そんな小さなくぼみの水たまりを見つけると、とても得をした気になりました。

普通に歩いていると見逃してしまうような小さな、小さな水溜まりですが、厳しく長い冬がようやく終わったと実感させてくれる、自然の営みです。心も身体も解放感に浸る瞬間です。

一二月に入ると南極大陸沿岸の露岩地帯の雪融けは急速に進みます。高床式の建物になる前の昭和基地の廊下は、雪融け水が流れ込み音を立てて流れる、小川のようになったことがありました。雪に覆われていた露岩地帯の斜面は湿り気を帯び、あちこちに細い流れが出現します。

岩の上に黒くこびりついていたコケ類や藻類が一斉に息を吹き返し、緑色になってきます。枯れたように岩にこびりついていたコケの復活です。幾条かの小さな流れが集まると、小川の様相が出てきます。ほんの短い流れですが、その流れの淵には川ノリの群落が見られます。茶っぽい荒涼とした世界に出現した小さな緑の群落ですが、その新緑は目に染み入りました。

南極の夏に出現した小さな流れですが、感覚的には春の小川でした。思わず童謡の「春の小川」を口ずさみたくなる安らぎを得た事があります。その南極で見た小さな自然は、それから半世紀近く過ぎた今日でも、日本で見たどんな新緑よりも、瞼に焼き付いています。

陽光が　育む流れ　大陸斜面

南極大陸の斜面はほとんど雪と氷に覆われています。「氷の表面を雪が覆っている」と書くのが正しい表現かもしれません。昭和基地から見る大陸斜面もほとんど同じような光景です。全体が白っぽいですが、太陽の反射の仕方で多少の陰影も見られます。陰影どころか大陸斜面は、太陽のキャンバスかもしれません。日の出のころの大陸斜面の色の変化は朱、紅、赤、紫などに時々刻々と変化します。

その斜面に夏になると一条の灰色の線が現われます。そのような線は日に日に数が増え、縞模様に見えてきます。最初はその原因が分かりませんでした。

その縞模様一本一本が水の流れでした。夜の無い季節、太陽は大陸斜面を照らし続けています。日照時間は平均で一四時間を超えます。平均気温はプラスになることはありませんが、強い日射で雪が融け川になって流れ下っているのです。近寄るとその流れは音を立てて流れていました。こんなに流れて、大陸斜面は谷状に削られないのかと観察してみましたが、そんな場所はありませんでした。広い面積の雪融けですが、その流れの深さは三〇センチもないようでした。

南極大陸の斜面に音を立てて流れる川ができるとは驚きでした。大陸氷が融けるのではと心配する人が居るかもしれませんが、夏が終われば大陸表面の氷にできた大きく窪んだ流れの跡はすぐに雪で覆われてしまいます。長い冬の間の積雪の一部が、夏の流れになっただけのようです。

ブリザード　一〇メートルも　無限の遠さ

日本で怖いものと云えば「地震・雷・火事・親父」ですが、昭和基地では「ブリ・クレバス・海氷・火事」です。ブリとはブリザードの略称で「ブリがくる」というように使われます。日本でも昭和基地でも、怖いものの筆頭は自然現象です。自然の大きさを改めて感じます。

ブリザードの特徴は強風と大量の雪、その結果としての視界の悪さです。昭和基地では南極大陸の沿岸に沿って西から東へと移動する大型の低気圧によって、ブリザードはもたらされます。ブリザードが襲来すると気圧は急に下がり、気温は上昇します。低気圧は日本とは逆に右巻きですから、低気圧の前面には北からの暖かい風が吹き込んできますので、気温が上昇するのです。

ブリザードはABCの三クラスに分けられます。もっともはげしいA級ブリザードと呼ばれるクラスでは、「平均風速が二五メートル以上、視界が一〇〇メートル以下の状態が六時間以上継続する」と定義されています。そんな気象状態のときはもちろん基地内では建物の外には出られません。外出禁止です。しかし、仕事の都合でどうしても他の建物に行かなければならないこともあります。

そんなときは二人以上で行動するのが原則です。建物と建物の間は命綱と呼ばれる登山用のザイルが張られています。羽毛服、防寒雪靴に身を固めて一歩外に出ると、ほとんど前は見えません。吹き付ける風に思わず下を向いても、自分の黄色い靴先も見えないことがあります。命綱を頼りに一歩一歩進むのですが、深雪で思うように足の運びができず、転倒したりします。すぐ隣のわずか一〇メートルぐらい離れた建物にたどり着くのに五分以上かかることも珍しくありません。歩いている人にとってその時間は無限の遠さを感じます。目的の建物に到着したら、すぐ無事到着を知らせます。

雪上車　ホワイトアウトで　迷走す

曇天の日海氷上に居ると、空と海氷原が一体となり、周囲の凹凸が分からずのっぺりと見えることがあります。光が乱反射して陰影が見えなくなるのです。このような現象を「ホワイトアウト」と呼びます。ある日曜日の事でした。北の方の氷山群を調査しておこうと、二人で雪上車を運転して出かけました。私も運転はうまくありませんでしたが、その時の相棒はもっと下手で、普段はそれを自覚していて雪上車を運転することはほとんどありませんでした。

年下の私との外出なので、気軽に「俺が運転する」と云って、運転を始めて出発しました。海氷上には雪上車のトレースがあり、その上を走ればしばらくは問題が無いので、私も助手席でのんびりとしていました。少しうとうとして、気が付いたらなんだか様子が変なのです。雪上車をストップさせ、外に出てみたら、雪上車は何と坂を登っているのです。

周囲はボーとしていてよく見えません。気が付いたらホワイトアウトになっていました。雪上車のすぐ右側は急激に下に落ちていました。座礁している氷山に迷い込んで、雪のドリフトでなだらかになっている斜面を登っていたのです。もしそのまま走行を続けていたら、頂上付近は急な崖になっており、雪上車は転げ落ちていたでしょう。

当然、前には進めず、周囲もよく分からないので、確実にバックして、平坦な海氷上まで戻り、自分たちの付けた雪上車のトレースをたどり基地に戻りました。途中で前のトレースと合流する地点がありましたが、どうもその辺からホワイトアウトとなりルートを見失ったようです。方向感覚を失うので、海氷上でホワイトアウトに遭遇すると怖いのです。

私が気が付いたのは二〇一五年ごろからでしたが、テレビのリポーターやアナウンサーが、北海道で大雪が降ったりしたときの吹雪のレポートで「ホワイトアウトです」を連発するようになりました。南極でのホワイトアウトを経験している私は、彼らの発する「ホワイトアウト」は少し違うような気がします。英語でも吹雪で視界が悪くなった時は、「ホワイトアウト」より、「ノービジビリティ（視界ゼロ）」を使うことが多いようです。

気が付けば　クレバスだらけで　足すくむ

南極大陸の上には平均の厚さが二〇〇〇メートルを超す氷が存在しています。その氷塊を氷床と呼びます。氷床は五万平方キロ以上の陸地を覆う氷塊と定義されており、地球上の氷床は南極氷床とグリーンランド氷床の二つだけです。南極氷床は大陸の中心付近では厚さが四〇〇〇メートルにも達する領域があり、ドームと呼ばれています。このドームから大陸の沿岸に向かって、四方八方へ氷床は年に一〇メートルから数十メートルぐらいの速さで、動いていきます。

氷床の下には岩盤があり、その岩盤は南極大陸が氷に覆われる前の地形を保っています。そのため氷床の移動する速さは、下の地形に左右され、谷状の所では早くなり、台地状の所ではゆっくり動きます。この氷の動く速さの違いから、その境目では氷の中にストレスがたまり、割れ目が発生します。これがクレバスです。多くのクレバスはその上の部分が雪でふさがれ、わずかに一条の線が見える程度です。

南極大陸の氷床上でクレバスに落ちた大型雪上車

内陸旅行で恐ろしいのはクレバスです。どこの国の観測隊も一度や二度は雪上車が上を覆う雪の層を踏み抜いて、クレバスに落ちた経験を持ちます。クレバスの幅は大きくても一メートル程度ですので、さすがに雪上車が落ちても、底に達することはありませんが、人間が落ちれば、深さが一〇メートルを超す狭い奈落の底へと達してしまいます。

日本隊でもこれまで数回雪上車がクレバスに落ちる事故がありました。私も自分の乗った雪上車がクレバスに落ち、車体が傾いたまま止まった経験があります。他の雪上車に牽引してもらい、脱出でき大事には至りませんでした。雪上車の外に出たとき、「その辺に見える筋はクレバスだぞ」と、越冬経験者に注意されました。注意してみると周囲の雪面のあちこちに無数の筋が入っていて、足がすくみました。

海氷割れ　沈む雪上車　カメラ浮く

島にある昭和基地は、越冬が始まると内陸調査や沿岸の調査旅行に備え、海氷が雪上車旅行に耐えられる厚さに凍っているかどうかを調査します。海氷に穴をあけ、氷の厚さを測定しながら旗を立て、ルートを設定してゆきます。例年四月ごろまでには、海氷も固くなり、大陸への上陸も可能になります。しかし、そのころには日の出が一〇時ごろと明るい時間が短くなってきますので、昭和基地の本格的な野外調査は極夜が過ぎてからになります。

海氷上の旅行では安全であっても、陸地への上陸地点では注意が必要です。大陸でも島々でも同じですが、海岸付近にはタイドクラックが発達しています。タイドクラックは潮汐の干満によって陸側の氷や積雪と海側の海氷との間にできる割れ目です。一日の潮汐の変化は場所によって異なりますが、その上下変動は一メートル以上はあります。ですからタイドクラックも海岸線に平行に二本、三本と発達しています。したがって付近の海氷も弱くなっていますので、雪上車での通行には注意が必要です。

そんなときに使われるのが道板です。幅広の厚く長い板二枚を雪上車のキャタピラの幅で平行に、海氷と陸側の氷に渡し、その上を通過します。あるとき、そのような作業をして上陸しようとしていた雪上車の下の氷が、突然割れました。同乗者二人は車外で道板作業や車の誘導をしており、ドライバーはとっさに車外に飛び出し、事なきを得ました。しかし、車内にあったすべての物、各自の装備品やカメラ、連絡用の通信機などが目の前で雪上車とともに沈んでしまいました。そんな中でケースに入っていた記録映画撮影用のカメラだけが突然浮き上がり、急いで回収されました。ビデオカメラが普及するはるか前の話です。

この雪上車の水没事故は、日本隊にとっては非常に大切な教訓になっています。

快晴で　テントを揺らす　カタバ風

南極大陸の沿岸地域では、毎日午前中は強い風が吹きます。高地で寒冷な大陸内部で冷やされた重い空気が、大陸斜面を流れ下るのです。日本語では斜面下降風、英語でカタバテックウインドウですが、私たちは略してカタバ風と呼んでいます。この強い風のため、地球上でのこれまでの最大風速も、南極大陸沿岸で観測され、その速さは毎秒九〇メートルから一〇〇メートルです。昭和基地のこれまでの最大瞬間風速は六一メートル程度で、これはブリザードで観測された値です。昭和基地は大陸から四キロほど離れているので、カタバ風は比較的弱いです。

昭和基地から東へ三五〇キロほど離れた沿岸の竜宮岬で調査していたときのことです。地形図を作るための測量、地質調査、コケの調査などを目的に一〇日間ぐらいを予定して、滞在していました。夜の無い季節ですから、皆つい無理をして遅くまで仕事をする毎日でした。

全員の疲労がたまってきていたある朝です。私はテントをたたく強い風で目が覚めました。いつになく強い風で、ブリザードの襲来かと思いました。天候が悪ければ、今日は休日にしようかと考えながら、外に出ると、なんと雲一つない青空が広がっていました。文字通りの快晴でしたが、あまりに風が強いので朝食をいつもより遅らせ、一〇時ごろから活動をすることにして、少し休養をとりました。その風も一一時にはぴたりと止まり、気持ちよく調査ができる日となりました。

環境保護　持ち込んだものは　持ち帰り

一九八〇年代までの南極の各基地は非常に汚れていました。マクマード基地へ飛ぶ飛行機の中で、今基地から連絡がありましたとアナウンスがあり「ダーティ（汚い）でダスティ（埃っぽい）な所へようこそ」とユーモアを交えた挨拶が紹介され、搭乗者一同大笑いしました。マクマード基地はそれほど汚れていました。昭和基地も同じです。

それ以前の問題として、各国の観測隊による自然破壊も問題視されるようになってきました。私は初めて越冬した時から、南極の巨大な自然を破壊することなく、後の世に伝えるにはどうすればよいかを考え始めていました。地球科学を専門としている身なので、「地球は有限」であることは分かっていました。ですから野放しにしておくと、非常に大きな南極の自然でもすぐ破壊されるだろうと心配していました。そのようなことを主張しても、当時の指導者層は「聞く耳持たず」で、南極では理想論は通用しないなどと云われたことを覚えています。

例えば現在では禁止されている石の持ち帰りですが、当時は野放しでした。私は南極では土産になるものは石ぐらいだから、持ち帰ることには賛成でした。自分自身、あちこちから頼まれかなり持ち帰りました。ただ私の主張は基地周辺とか調査がほとんど終わった地域を指定して、そこで石拾いをすべきと主張し、自分は実行してきました。

ところが、調査のために、未調査地域にヘリコプターで行くと、到着したら真っ先に石拾いをする人が居るのに驚かされました。そのような行為は現在では完全に禁止されていますが、現場では守られているのかどうか、疑問です。

紆余曲折はありましたが一九九八年一月に「環境保護に関する南極条約議定書」が発効し国際的に南極の環境は守られるようになりました。その骨子は「南極に持ち込んだものは全て持ち帰る」です。また動植物の南極への持ち込みも禁止されましたから、犬ぞりも使えなくなりました。

そのころ昭和基地を訪れた同行記者が、昭和基地のごみの山を報じました。基地の建物群の北側にある小島は、使えなくなった雪上車やドラム缶など重量物の捨て場所になっていました。その報道を読んだ日本の読者は驚いたことでしょう。日本隊の輸送力などを考えると仕方のない面もありました。しかし自然を守る、環境を保護しようという意気込みが不足していたことも事実です。現在は議定書に従い、基地に残されていたほとんどのごみを日本に持ち帰っています。また人の排泄物も焼却し、その灰は持ち帰っています。

古来から日本人は「水に流す」という言葉が好きでした。南極でも汚物を海に流せば、微生物により分解されるだろうと考えられていました。気温の低い南極では有機物も分解されることなく、残ってしまいます。とにかく南極のどの場所へでも持ち込んだ物はすべてを持ち帰ることにより南極の自然環境を守り続ける努力が継続されています。

第5章　生活

昭和基地で越冬した人たちは、そこでの生活を大変だと感じることはあまりなかったと思います。しかし、改めて昭和基地の生活を、日本での自分の生活と比べてみると、やはり大変だったかなとは思います。宗谷、ふじの時代に比べ、現在の基地の中での生活は格段に改善されています。しかし。一歩外に出れば、その自然は六〇年前と少しも変わっていません。その自然の厳しさこそが、越冬した人たちの心と身体を鍛えてくれているのです。

選ばれた　男冥利の　観測隊

宗谷、ふじの時代、南極観測は男社会でした。普通では行けないところに行って仕事をするのだ、できるのだ、という使命感はどの隊員も持っていました。隊員を出す大学や研究機関もまた、きちんと研究や調査ができる人を選んでいました。

観測をサポートする設営関係の隊員のほとんどは民間企業の協力を得ていました。観測隊員を出す側としては、国の国際事業へ会社を代表して参加させるのですから、それ相応の人物を選ばなければいけないと考えていました。したがって技能はもちろん人間としても集団生活に対応できる人物が選ばれていました。

私は最初の越冬中に昭和基地で三〇歳を迎えた若造でした。世間知らずでもありました。そんな私が気持ちよく生活できる環境を作ってくれたのは、このように選ばれてきた人たちでした。衣食住すべてがそろっていました。共同生活、団体生活には、日本国内に居てもある種の制約はつきものです。

昭和基地の生活も同じで、特につらいとも思わず、楽しく過ごせたことが、その後の人生でとても役に立ち、ついにはその中に身を置くようになりました。やはり最初の経験であった8次隊の仲間がよかったのかもしれません。彼らには現在でも感謝をしています。そして昭和基地で培われた友情は五〇年が経過しても続いています。

南極で　偉くなったと　錯覚し

宗谷の時代の南極観測のマスコミの扱いは、一九九〇年代に始まった日本の宇宙飛行士誕生に勝るとも劣りませんでした。ふじの時代の初期のころの扱いも同じでした。私の8次隊の時には平隊員の私でも、各テレビや新聞には写真入りで紹介されました。地震学者としての参加を特別記事で紹介する新聞もありました。

このようなマスコミの扱いは次第に少なくなり、20次隊のころになると、全国紙で紹介されるのは、担当と氏名ぐらいになっていました。それでも地方出身の人は地元紙に大きく扱われることもありました。

宗谷やふじの時代、若い世代の人にとって南極観測隊員になることは、同世代の中では比較的早く世の中に名前を知られるチャンスだったことは事実です。実際、南極観測に参加したからといって、偉いわけでもないし、有名になるようなことをしたわけではありません。しかし珍しいところに行くからと、少しでもマスコミに騒がれると、何となく自分は偉くなったと錯覚する人はいました。

南極観測に参加した人たちが集まる会などでも、同じ世代の隊員になぜこんな口の利き方をするのだろうと、不快に思う人も見受けられました。

しらせの時代になると、隊員に選ばれてもマスコミに報道されることもなくなりました。現在の南極観測はしらせの出航や帰港、観測隊の空路での出発が話題になるだけで、ほとんど報道されなくなりました。

しかし私は、現在の姿こそ南極観測の真の姿だと思います。地道な観測調査を続けていって南極や地球の姿を知ることが、南極観測の使命です。マスコミのニュースになるような話題性は無くても、平凡な観測の継続こそ南極観測隊や昭和基地での仕事の役割です。「無事これ名馬」のたとえではありませんが、ニュースにならない毎日の任務の継続が、人類への知的財産を増やし続けているのです。

初の女子　年寄りばかりが　大騒ぎ

日本の南極観測が久しぶりに話題になったのは、一九八七年に出発した29次夏隊に女性が参加したときでした。夏隊ですから一一月に出発して、翌年の四月に帰国します。およそ四カ月半、しらせという観測船の閉鎖空間と昭和基地の男性社会で過ごすのです。

男社会の南極観測へ女性が参加するときの課題は、その良し悪しをめぐる根本問題から観測船や基地内の設備の問題に至るまで、いろいろなレベルでの議論がありました。後で気が付いたのですが、その当時、女性の参加を歓迎せず、心配したのは男女共学を知らない昭和一桁以前に生まれた人たちが主でした。男女共学の世代はあまり心配することなく、むしろ当然と受け入れていました。

私も共学の世代ですが、それ以前に、アメリカ隊やニュージーランド隊で女性隊員を見ており、いろいろお世話にもなりました。日本隊への女性の参加を著書で初めて言及したのは多分私だと思います（『南極情報101』岩波ジュニア新書、一九八三）。そんな背景がありましたので、私は違和感よりも、日本も遅ればせながら、ようやくそんな時代になってきたかという一種の安堵感がありました。

ある会議で私は「観測隊、しらせ乗組員約二〇〇名の男性の中に、一人だけで居られる女性を探すことはできるでしょうが、その女性を気にしない男性を二〇〇名揃えることは不可能でしょう。問題は男性側にあるのですよ」と説明しました。後日その会議の参加者から、あなたの説明が一番分かり易かったと云われました。

同じく私は「男と女がいるのですから男女関係が問題になることが起こるかもしれません。しかしそれをふしだらだなどというべきではないと思います」と云ったら、大変叱られました。たぶん宗谷、ふじの男社会時代から南極観測に関係した人たちにとっては、南極観測隊員は「聖人君主であるべし」という幻想を抱き続けていたのでしょう。

新造船しらせの就航が一つの契機となり、ようやく日本隊にも女性が参加できる土壌が造成されたのでした。それからは夏隊に参加する女子隊員がポツリポツリと出てきました。

女子越冬　大変なのは　男たち

昭和基地での女性の初めての越冬は一九九七年一一月から九九年三月までの39次隊でした。夏隊への女性の初参加から一〇年が経過していました。一年四カ月の越冬に備えるには、それだけの時間が必要だったのかもしれません。

超高層物理学と地球物理学分野の観測担当として、二名が越冬しました。世間の注目があったようで帰国後、彼女たちは『南極に暮らす』（岩波書店、二〇〇〇）というタイトルの越冬記を残しております。同書には私も依頼されて南極観測の概要を寄稿しました。

二名のうちの一人は、私の分野だったので、出発前から観測や越冬について話をしていました、また帰国後にもいろいろな報告も受けました。

彼女たちが強調したのは、南極観測が始まって四〇年以上が経過しているのに、南極や昭和基地がずいぶん誤解されているという事でした。相変わらず南極は冒険や探検の世界と思っている人も少なく無いと指摘していました。

南極は自分の夢をかなえてくれた場所であり、その自然は素晴らしかった。そして何よりも越冬生活を楽しく過ごさせてくれた男性たち三七名（越冬は三九名）への感謝を述べています。帰国後大変だったろうとの労いをたびたび受けたが、実際は自分たち二人への気づかいをしてくれた男性たちこそ大変だったのではないかと書いています。女性の初越冬は成功だったと云えます。

やはり出た　週刊誌上に　スキャンダル

女性の初越冬から一〇年以上が経過したころのことです。ある週刊誌が昭和基地での男女の関係を報じていました。事の真偽は別にして、私はやはり出たかという気持ちでいました。女性隊員の初参加の時、私が発言して叱責を受けたことが現実になったのです。私はある意味では、これで昭和基地もようやく一般の世間並みになったという感想でした。

基地建設から五〇年が過ぎ、女性も暮らしている昭和基地は、日本国内の風景と同じようになってきたのです。そこにはいろいろな人間模様があって不思議ではありません。もちろん良いこともあり、悪いこともあるでしょう。聖人君主の集団でもない限り、いつも笑顔でいることなどできないのが当たり前です。そんな一コマが週刊誌のネタになったのです。

モラルの問題はあるにしても、結局は隊員個人の問題であって観測隊の問題ではありません。昭和基地はきちんと機能し、観測は順調に続けられているのです。週刊誌で報道されたからと云って、観測隊や昭和基地の評価を下げると考えるのはおかしいというのが、問題を知ったときの私の意見です。

私が初めての女性の参加を議論した最初の会議で、その心配を口にしたとき、「そんなことはあってはならない」と強く叱責した人も、記事が出たときは、鬼籍に入られていました。健在だったらどんな対応をされたのかと、ときどき思い返しています。南極観測に女性が参加することが当たり前の時代になりましたが、二〇一〇年代になって多くの人がびっくりすることが起こりました。観測隊が出発前の一一月中旬、毎年、文部科学省による観測隊としらせ乗組員の壮行会が催されます。その時も数名の女性隊員がおりました。

会が始まり会場では、観測隊員が前の方に整列します。驚いたことに開催前には家族か関係者と思っていた和服の女性二人がその中にいるのです。驚いたのは私ばかりでなく、そこに出席していた多くの元隊員も同じでした。「壮行会　和服の女子に　驚かされ」で多くの人が世代間の違いを感じた出来事でした。

休日に　島を巡って　地理覚え

昭和基地では越冬が始まり、冬ごもりの準備が終わる三月から四月半ばごろまで、オングル島内の島めぐりを奨励しています。東オングル島内が主ですが、時間の許す限り西オングル島へも足を延ばします。東西両オングル島は最高点でも標高は四〇メートル程度です。高いところに登ると、南二〇キロのラングホブデの山並みをはじめ周辺の島々を望見できます。

この時期になると島のあちこちにある池も凍り始めますが、その位置を頭に入れておくことも重要です。特に目印になるのは、東オングル島の胎内くぐりや西オングル島の大岩です。氷河に

西オングル島の大岩。氷河に運ばれてきた迷子石

よって運ばれてきた大きな迷子石ですが、自分の位置を確かめるのにはよい目標です。

遠足と呼ぶこのような島内巡りを奨励するのは、一人一人が自分の判断で、自分のいる位置を分かるようにしておきたいからです。視界が悪くない限り、いろいろな条件の下で歩き回ることにより、南極での土地勘を身につけ、ブリザードへの備えにもなるのです。

東オングル島は現在ではたくさんのアンテナが建てられています。主屋棟群の建物から離れても、いろいろな建物が建てられています。宗谷、ふじの時代に比べて、基地の規模が拡大してどこに居ても、自分の位置は確認しやすくなっています。

潮騒に　孤島感じる　昭和基地

東オングル島の北東端、通称立ち待ち岬付近は夏の終わりごろには、海氷が融けて海水面が現われる海岸です。東側はオングル海峡を挟んで南極大陸です。オングル島北方のリュツォ・ホルム湾入り口付近の海域は毎年氷山が並んでいます。そこでふじの時代から、観測船はオングル諸島のはるか西側の、リュツォ・ホルム湾中央海域を南下します。一〇キロぐらい南下したところで東進し、オングル海峡を北上して、立ち待ち岬付近に停泊します。そして基地まで約一〜二キロの距離を雪上車で資材輸送をします。

立ち待ち岬の上に立ち、越冬隊員たちは観測船しらせの到着を待ちます。またしらせが去るときもここから見送ります。三月にこの付近を訪れると海峡の沖合には観測船の航跡がくっきりと残っています。海氷が融けて水面が現われているときもあります。

東オングル島の北東端、立ち待ち岬付近から北方を望む。上部左側は岩島、右側はオングル海峡の氷山。北方リュツォ・ホルム湾入口付近には氷山群が並ぶ

三月のある日、島めぐりのついでに立ち待ち岬に寄り海岸に立ってみました。海岸と云っても砂浜は無く、岩がむき出した磯です。でもそこに立っていると、小さな波が打ち寄せ、狭い岩畳を洗っていました。風もなく静寂の中、小さな海水の流れは音を立てていました。ひと月前はその付近は雪に覆われ、その上を多くの人が動き回っていました。その騒音が消え、静寂の中の小さな潮騒を聞くと、三〇人の越冬隊だけで一年間を生きなければならないのだと、無性に孤独を感じました。

気温が低くはなっても、夏の間に薄く弱くなっていた

オングル海峡の海氷は、三月頃にはなくなり海面が現われています。すると気が付くと大きな氷山が流れているのを時々目にします。海峡の流れはほとんどないようですから、氷山は風に押されるように、ゆっくりと動いています。

氷山はほぼ南北方向に動いていますが、時には方向を変えて東オングル島の北側の海に入ってくることもあります。そんな氷山はその付近で座礁して動かなくなります。昭和基地ではバーで使う氷や日常的に必要な氷は氷山氷を使っています。ですから基地の近くに座礁した氷山があるのは大変便利なのですが、毎年都合の良い場所に氷山が座礁するとは限りません。

オングル海峡をゆっくりと移動する大きな氷山、と云っても南極にある氷山としては小さいですが、海面からの高さが一〇メートルもあれば十分に大きな氷山に見えてしまいます。そんな氷山が動き回る海峡にさえぎられているのがオングル諸島です。今自分は地球の最果ての島にいるのだと寂寥の念を強く感じました。

自分たちは島にいるのだと実感したとき、同時に基地には船がないのが不思議でした。まあほぼ一年中氷に閉ざされているから、実際小型の船を用意しても、まずその係留地点を探すのに苦労するでしょうし、ほとんど役にはたたないでしょう。

外国の基地でも、私の訪れた大陸沿岸の基地にはどこも船は置いてないようです。南極半島の北側にあるキングジョージ島には多くの国の基地があります。南緯六二度付近に位置するこの島周辺は、年間を通して凍結することはありません。島内の調査にしても陸上を行くよりも、海上から調査地点近づいたほうが早いです。したがって現在はほとんどの基地でもゾディアックと呼ばれる船外機付きゴムボートが使われています。

昭和基地では雪上車が水没しないようにと、水陸両用の雪上車を使ったこともありましたが、雪上車としての機能が低いので、現在は使われていません。またホバークラフトも持ち込みました。観測船から基地への輸送も可能な大型ホバークラフトの導入も検討されました。しかしホバークラフトの操縦、運用には素人集団の観測隊では簡単に使うのは難しく、普及しませんでした

昭和基地の北に見られる蜃気楼の氷山。蜃気楼は低温の日に現れることが多いが、海面上の氷山が逆さに壁のように見える

海氷上　島かと錯覚　氷山の群れ

オングル諸島北方のリュツォ・ホルム湾入り口付近の氷山群の多くは、東一二〇〇キロ、東経七五度付近のアメリー棚氷から流れ出たものと推定されています。また西側から南側のリュツォ・ホルム湾内の氷山は、南一〇〇キロのしらせ氷河から流れ出たのがほとんどです。

海氷原上を雪上車で走っていると、突然前方に小島が姿を現すことがあります。白っぽく見えれば氷山と分か

るのですが、太陽光の具合によっては灰色がかっていますので島と錯覚してしまうのです。

島がないはずの地域を走っているときなどは、一瞬ルートを間違えたのではないかとドキッとしたことが何回かありました。あるときは、氷山が林立するように並ぶ地域に入ったことがあります。その世界は静寂の世界でした。ごくまれに、ザーッというような音を立てて、氷が落ちることがありましたが、自分たち以外に音を立てるものが無いのです。

氷山の高さは一〇メートルから二〇メートルの氷の壁ですが、陰影によっては、その壁に柱が並ぶように見えることもあります。そんな時は古城の中に迷いこんだような錯覚を覚えました。

また日射が強くなってくる季節には、表面の氷が融けて、氷の壁を滝のように流れ落ちていることがあります。氷山の壁にはそんな滝で削られた跡が深いひび割れのように何本も残っています。氷山の上をヘリコプターで飛ぶと、そこには碧い色の水をたたえた池が在ります。大きな氷山になりますとその上では少なくとも夏の間は陸上と同じような営み、川の流れや湖水などが出現しています。

割れないと信じても怖い　海峡の氷

初めて越冬した一九六七年四月下旬の日曜日、快晴無風の好天でした。日照時間はおよそ五時間、皆ゆっくりと休日日課を楽しんでいました。私は同僚と二人、海氷の様子を見ながら、オングル海峡の徒歩旅行の許可を得ました。

東オングル島の対岸の大陸斜面には向岩と呼ばれる目印があります。海峡の幅は四キロ、往復四時間の徒歩旅行です。オングル海峡は完全に凍結しており、海氷面には薄っすらと雪が付いていました。進行右方向の南側には、ラングホブデの山並みもきれいに見えていました。二か月前に去った観測船・ふじの航跡も残っていました。

気が付いたら私たちは海峡の中央を過ぎており付近の海氷の表面はてかてかで、透き通り海底が見えるかと思うほどでした。自分の立っている濁りの無い氷に、吸い込まれそうな錯覚を覚え、恐怖心が出てきました。氷の厚さはおそらく数十センチ以上で、割れることは無いと分かっていても怖かったです。

対岸に着くと海氷上ではアザラシが数匹横たわっていました。海岸付近にはタイドクラックが開き、海氷が盛り上がっていたりしたので、上陸をあきらめ、基地に戻りました。二人だけでの行動でしたので無理はせず、初めて南極の自然の大きさを感じた一日でした。

雨漏りに　大騒ぎした　昭和基地

南極でも緯度の低い南極半島付近では、雨が降ることは珍しくありませんが、昭和基地のような大陸沿岸の基地ではほとんど雨は観測されません。気象学的には雨とみなされるような現象があっても、霧雨のようなもので、パラパラと降る雨は観測されたことがありませんでした。

ところが一九八四年五月七日から八日にかけて、昭和基地では豪雨とも呼べる降水がありました。同年五月二五日の日本国内の朝刊各紙は、昭和基地からのニュースとして、一斉にこの事実を報道しました。

中央の各新聞の東京版では、どの社も大きな見出しで報じていましたが、中でも毎日新聞が詳しく報じていました。「暖冬南極に雨が降る・昭和基地観測始めて初」との四段抜きの見出しの下に横組みで、「雨もりに大あわて」とあります。その記事の一部を抜粋します。

「昭和基地では五日から気温が上がり始め、七日朝から生暖かい風が吹き始めた。同日午後四時（日本時間同日午後十時）に気温はマイナスからプラスに転じ、同六時五十分、雪がみぞれに変わった。そして同七時半ごろから雨になり、途中二時間の中断はあったが八日午前三時四十分まで約六時間降り続いた。同日午前零時四十二分に気温は最高の二・八度を記録、雨が止んだ後も同日午後九時過ぎまでプラスの気温が続いた」

雨はかなりの大粒で、降雨時は風速二〇メートルの横なぐりの雨が吹き付け日本なら嵐と呼べるほどでした。昭和基地の設備は、雨のことはほとんど考慮されておらず、あちこちで雨漏りが続出し隊員たちを困らせたのでした。しかしその後は現在まで、三〇年以上もそんな現象は起きていないようです。

昭和基地の五月の平均気温はマイナス一三・五℃、平均の最高と最低はそれぞれマイナス一〇・七℃とマイナス一六・六℃です。またこれまでに観測された五月の最高気温は、この時の二・八℃です。最低気温はマイナス四〇・五℃を観測したこともあります。

一日の　サイクル大事　極夜の日

昭和基地では五月頃から冬日課を始めます。例えば起床は八時、朝食九時、昼食は一四時、夕食は二〇時、なんていう時間になります。夏でも、冬でも、夕食の時間は一時間から一時間三〇分で終わらせています。夕食にはビールや酒も供されますので飲みたい人は飲んでもよいことになっています。しかし、いつまでもだらだら飲んでいては後片付けもできないので、夕食の終わる時間はきちんと決められています。もっと飲みたい人は自分の部屋で飲むか、夕食後に開くバーで飲めばよいのです。

観測関係の人、特にオーロラを観測する人などは、夜が忙しいから、食堂に居る時間も短くなります。一方設営関係の人たちは全体に仕事量が少なくなるので、夕食後は自然にバーに集まって飲むことが多くなるようです。

全体に夜が遅くなり、仕事量が少なくなるのだから、朝はいくら寝ていてもよいではないかと、声高に言う人も出てきます。しかし私は朝は決められた時間に必ず起きてくるよう奨励していました。

極夜の過ごし方は体内時計ではなく、決められた時間を守ることです。朝はとにかく決められた時間に起きてきて朝食でみんなと顔を合わせます。これは互いの無事を確認する意味もあるのです。一応起きておいて、どうしても眠たければまた寝ればよいのだから、とにかく起きてきなさいというのが、生活のリズムを保つ第一歩です。昼食、夕食でもみんなと顔を合わせておくことにより、互いの体調や健康状態の確認をする機会でもあるのです。

暗いのだから寝ていてもよいではないかと主張する人に限って極夜が終わり、日の出が早くなっても起きてこないのです。「暗いので起きなくてもよい」はいわばそのときの方便であって、自分勝手に過ごしたいだけなのです。このように団体生活を乱す人はどの隊にも必ず一人や二人はいるようです。しかし太陽の出ない季節を乗り切るには、決められた時間通りのリズムで動くのがベストであることは確かです。

忙しい　連発する人　余裕あり

越冬隊はほとんどの隊員が、自分一人だけが専門の担当や役割を持っていて、ほかの人が替わることができません。ですから皆必ずやらなければならない仕事があります。しかし基地内には、多くの人手がいる仕事があります。宗谷・ふじの時代は造水のための雪入れもその一つでした。雪入れは毎日やっておかないと、ブリザードの時などは、すぐ水不足になります。ですから必ず「手空き総員」といって、その時間に手の空いている人は全員協力するのが原則でした。しかし中には「忙しい」と、その作業に参加しない人も出てきます。

雪入れ作業は誰でもできるので、他に仕事があれば、それを優先すべきですし、それに誰もクレームはつけません。ところが毎日のように、忙しいを連発する人が居るのに気が付きました。その人の職種からしても、日々の二〇分か三〇分の「手空き総員」作業に出られないはずはないのです。結局その人は個室で、自分の趣味にすべての時間を使っていました。「忙しい」を連発する人は、実際はかなり余裕のある人であることに気が付きました。まあ自分勝手な人と云えるでしょう。

逆に自分の仕事も、共同作業も、黙って一生懸命にやる人のオーバーワークに配慮が必要と知りました。本当に忙しい人は「忙しい」などと云わずに、黙って自分の仕事に集中しているのです。そのような人へは逆にあまり無理しないように、手伝えることがあれば手伝うという配慮が必要でした。

いろいろと　理由をつけて　ごちそうを

越冬生活のルールは基本的にはそれぞれの隊で決めます。そんな中、単調な越冬生活に潤いを与えてくれるのが食事です。観測隊はいろいろな記念日を設けて食事会を開きます。まず初めが「越冬成立」です。観測船が離れ越冬隊員だけになる二月二〇日ごろです。これからは自分たちだけで一年間生活するという覚悟を決める会でもあるでしょう。

越冬人数が少なかった時代は、誕生祝はそれぞれの誕生日に合わせて行っていましたが、人数が多くなると月毎に行うようになりました。

「太陽に分かれる日」は極夜の始まりを祝い、ミッドウインターを盛大に過ごした後、「太陽を迎える日」となります。長期間の調査に出発する隊があればその送別会、昭和基地に戻ってくれば歓迎会なども開きます。

1981年6月、ミッドウインター。フルコースのディナー。メニューの下にナイフが隠れている

第57次隊ある日の昼食のドライカレー。使用している皿は第22次隊（上の写真、下側の皿）と同じ。35年以上昭和基地で使われている。未来を拓く節約の精神

一一月になれば「日本出発一周年」などとにかく日常生活にアクセントをつけて、生活に変化をもたらすための食事会です。新年のお節料理も用意されます。おそらく各隊とも一カ月に二〜三回のごちそう会があるでしょう。

大変なのはそのメニューを考える調理担当者です。出発前からメニューを企画し、それぞれの食材を準備していくのです。

各基地と　メール交換　真冬祭

真冬祭は南極ではミッドウインターと呼ばれ、越冬中の最大イベントです。まあ南極の正月でしょうか。その起源はイギリスのスコット隊が一九〇二年にロス島のハット岬で越冬した時に始まったと思います。スコット隊は第一回の越冬でも、第二回の越冬でもミッドウインターのときはパーティを開き、楽しんでいます。たぶんその習慣をひきついたのでしょう。IGYで南極観測が始まったころからは、ミッドウインターでは各国基地との間で祝電が交わされていました。

8次隊のときは、南極の全基地にイギリスのエリザベス女王やアメリカ大統領からも祝電が届いていました。残念ながら日本からは当時の文部大臣だか事務次官のメッセージが昭和基地には来ましたが、外国の基地には送られなかったと記憶しています。もちろん日本の皇室からの祝電もありませんでした。

五〇年前と異なり、現在は南極での通信手段もメール全盛です。各基地ではそれぞれ知恵を絞

昭和基地の厨房。和食の料理人がミッドウインター祝い膳の懐石料理を準備中

「酒を愉しめるように酒の肴を松花堂弁当の仕切りを取って盛り込んだ」前八寸。箸置きの松の水引きは基地内での手製。創意工夫が未来を開く

り、それぞれが越冬隊員全員の写真入りのカードを交換しあいます。

昭和基地では六月二二日の日本（北半球）の夏至、南極（南半球）の冬至を中心に、日本の正月三が日のように、三日間程度を休日日課として、フルコースのディナーをはじめ、演芸大会、カラオケ大会などを行い、気分転換をします。

昭和基地ではミッドウインターを迎えても、越冬はまだ五カ月を過ぎただけ、家族に会えるのは九ヵ月も先なのです。

氷点下　火災に弱い　南極の基地

南極での火災は文字通り命取りになります。一九六四年ごろの事でした。日本の真南にあたるアデア岬のハレット基地はアメリカとニュージーランドが共同で越冬していました。ところがマクマード基地からの呼びかけにハレット基地からの応答がない事が重なりました。心配したマクマード基地ではハレット基地に調査隊を出しましたが、そこで見たものは火災により全員が死亡していたという事実でした。その事故によりハレット基地は閉鎖されました。

同じ一九六四年の四月にソ連（当時）のボストーク基地の発電機が火災を起こしました。ボストーク基地は南磁軸極の近くに開設されている基地で、標高が三五〇〇メートルもあります。この基地で一九八三年七月二二日にマイナス八九・二℃を記録して、三〇年以上が過ぎた現在でも、地球上で観測された最低気温です。そんな極寒の地で火災が起こってしまったのです。発電機が

第25次隊の新聞「アデリータイムス」が報じる昭和基地の火事。写真左端に福島ケルンが見えます

使えないので、暖房もほとんど得られず、したがって水を作るにも苦労する厳しい生活だったようです。それでも火災のときの犠牲者一人を除き、全員無事に、春先になって訪れた救援隊に助け出されました。

昭和基地でも観測史上最大の火災が一九八四年七月二六日に発生しました。午後二時三五分ごろ、基地内の火災報知器が鳴り響きました。当時の基地の中心だった建物群から五〇メートルほど北に離れて建てられていた作業棟から白煙が出ており、出火したのです。

越冬以来、隊員たちは消火訓練を受けておりますので、直ちに消火器をもって現場に駆け付けました。棟内は煙が充満しており、消火器は役立ちませんでした。

七月の南極では真水は得られません。海氷に穴をあけ海水の放水を始めたのが午後三時四〇分ごろでした。作業棟に並んで立っていた工作棟もほとんど焼け落ちていました。放水はその横に建てられていた飯場棟に集中しました。午後四時四五分ごろには、作業棟、工作棟の火は衰え、飯場棟への延焼は免れました。午後一〇時ごろまでに火災はほぼ鎮火し、焼失面積はおよそ二五〇平方メートルに達しました。幸い怪我人はおりませんでした。

この経験を教訓として昭和基地では防火意識をより一層向上させて現在に至っています。

雪原も　注視をすれば　峰と谷

越冬中の昭和基地から内陸への調査旅行は、雪上車で行います。昭和基地から海氷上をとっつき岬と呼ばれる北北東に一五キロメートルほど離れた大陸への上陸地点へとまず向かいます。そこから大陸斜面を登り、昭和基地の真東二〇キロメートルに設けられているS16に行きます。とっつき岬を起点にして、内陸のみずほ基地へのルートは二キロごとに目印のポールに赤い布をつけた旗を立て、S1、S2などと順番に番号をふってあります。S16は大陸斜面を登り切った地点にあります。現

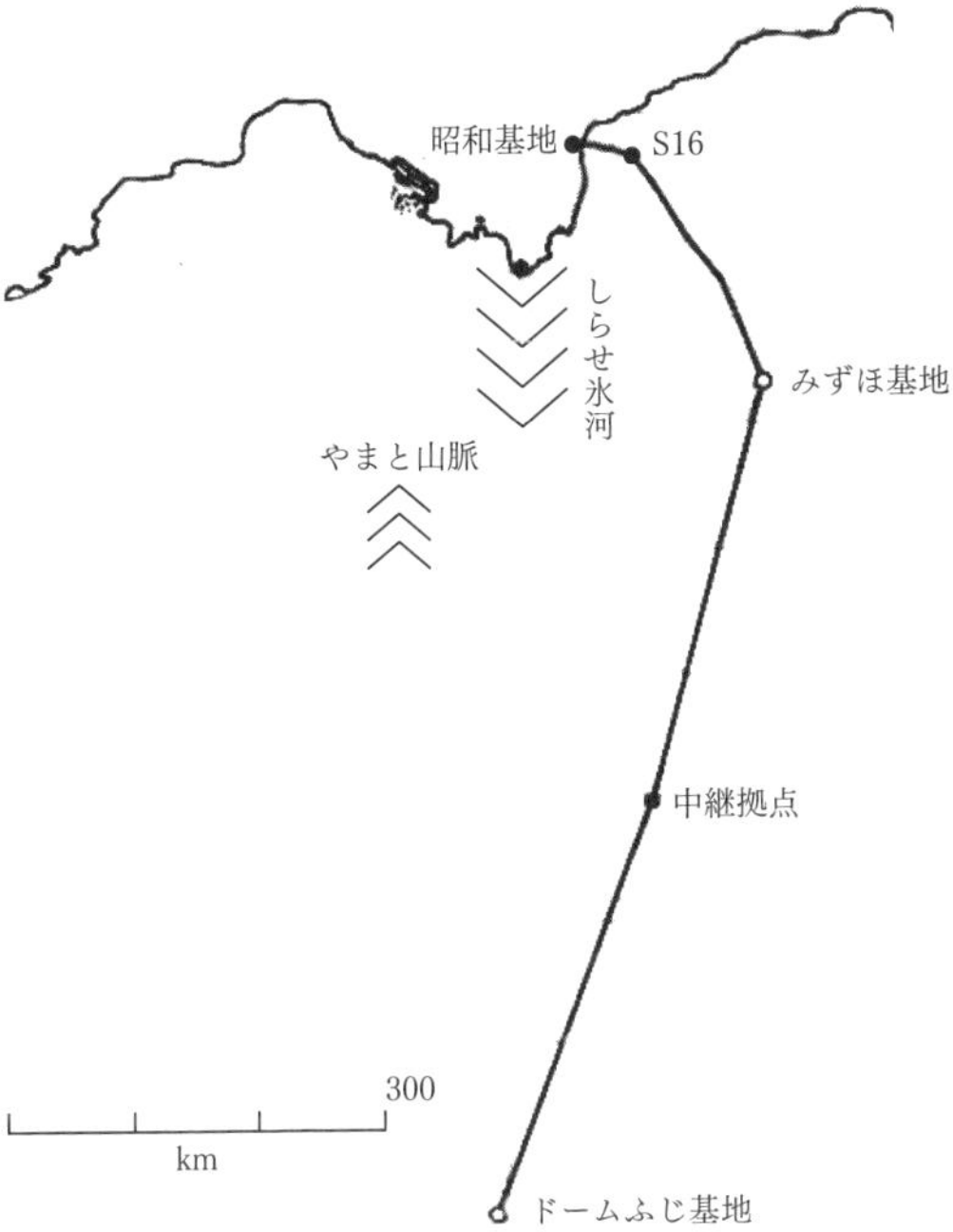

昭和基地・ドームふじ基地周辺図

在日本隊はこの標高五〇〇〇メートルのS16を内陸旅行の出発拠点としています。オングル諸島も眼下に見える場所です。近年はここに外国からの航空機の受け入れ施設も作られています。

一九七〇年に雪氷の内陸調査基地として設けられたみずほ基地に行くには、このS16から南南東に向けて出発しますが、周囲はすぐに白一色の雪面になります。南へ延びるルートを示す竹竿にくくり付けた旗だけが目印です。多くの人がこの風景を単調だと云います。ドライバー以外は眠気をもよおしてくる風景です。

そんな風景でも注意をして見ていると、氷床下の地形の変化を反映した雪面の変化が見えてきます。雪上車が進むルートの南側一〇〇キロにはしらせ氷河が流れています。そのしらせ氷河に向かって、ルート上の氷は緩やかに南から西の方向に流れているのでしょう。本当にゆったりとした西向きの斜面が、雪面の変化として見えるのです。

同じように微かな雪面の盛り上がりは、氷の下に丘陵地帯や山のあることを示唆しています。このように内陸旅行でも走りだして数日は、氷床下の地形の変化が雪面の変化に現れていて面白いです。このような地形の変化の雪面への反映も、氷床が薄いうちだけで、おそらく一〇〇〇メートルの厚さになれば現れません。しかもその変化はよほど注意しないと見落とすので、多くの人にとっては単調な雪上車旅行になってしまいます。

雪面の小さな突起が畝作り

南極大陸の内陸は「見渡す限り平坦な氷原」、「白い海原」というような表現で間違いはありません。雪上車で大陸を旅行していると、海の上を航海しているような錯覚にとらわれます。

しかし南極大陸の雪原は、日本で野原に雪が積もったような平坦さはありません。南極の雪氷原は強い風で表面の雪が削られ、吹き飛ばされて氷が露出している「裸氷域」もありますが、ほとんどは氷原の上に雪が積もっている雪氷原です。その表面は風で削られ激しい凹凸が生じます。この凹凸はサスツルギと呼ばれ、風の強い地域ほど発達します。その地域の風の主方向に沿って長く延び、あたかも畑の畝のような凹凸が出現します。

サスツルギの凹凸は高さ一メートルを超える所もあります。そんな場所を雪上車で通過するときは、ガクンガクンと揺れ、楽ではありません。楽どころか奥歯をかみしめていないと舌を噛みそうになり、車酔いになる人もいます。

大陸の高度が二〇〇〇メートルから三〇〇〇メートルと高まるに従い、風は弱まりますが、平均風速三～五メートルの風が吹き続け、地吹雪も見られます。立っていて風を感じないときでも、さらさらと雪面を風が流れ、雪を運んでいます。

そんな雪原に、ポツンと高さ三〇センチ位の木箱を置いたとします。夕方置けば次の朝には、木箱から風下側に何十メートルも細い雪の吹き溜まりができています。その高さは木箱の高さを超えることなく、あたかも畑の畝のように見えます。

雪上車　ドアを開けたら　雪の壁

大陸旅行でキャンプするときは、雪上車もそりもすべて、風に向かって横一列に並べて駐車します。一台の雪上車は必ず数台のそりをひいています。そのそりを一台ずつ切り離して並べるのは大変な作業です。もしそりを連結したまま駐車したとすると、雪上車を含めて後ろに並ぶそりは、一つの小山のようになって雪に埋まってしまうのです。そりを掘りだすのには、並べる手間の何倍もの時間を要するのです。

内陸で経験したあるキャンプでの出来事です。キャンプサイトに到着した時から天候の悪化が分かっていましたので、十分な備えをして、休みました。次の日の朝の事です。ブリザードとも呼べる、強い風と降雪で視界はほとんどありませんでした。当然その日は行動できませんので、雪上車内でゆっくり休み、一〇時ごろになったので、隣の雪上車のもう一つ先にある、食事用のカブース（幌付きのそり）に行くべく外に出ました。あたりは視界がゼロで隣にあるはずの雪上車も見えません。

雪上車は五メートルぐらい先のはずなので歩き出しました。歩き出すとすぐ、なんだかよく分かりませんでしたが、雪の山にぶち当たりました。一晩でできたドリフトだと気が付き、自分の雪上車の前に出て、雪山を左手に、さらに進むと隣に駐車した雪上車があり、さらに進むとまた雪山があり、その先にあったカブースがようやく見えました。

視界が良くなり確認したところ、雪上車の間には高さが二メートルに達する壁ができていました。次の雪上車とそりの間の壁は高さが一メートル程度で、越えることも可能でしたが、最初のドリフトはまさに「壁」でした。

海氷上 そよ風急変 ブリザード

昭和基地の一〇月初旬の日曜日でした。ブランチを食べた後、スキー好き三名で、基地の北西側の斜面にスキーに行きました。スキーといってもゲレンデスキーですから、あまり長いコースはありません。あちこちの斜面を登っては滑り、登っては滑りを繰り返していました。二時間も滑ったでしょうか。我々は海氷上に座り込んで休憩をとりました。

冬が明け白夜の季節になっていましたので、太陽の光はまぶしく、また有難く感じました。休んでいたら、そよ風が吹いてきました。汗をかいた後だったので、心地よい風でした。気持ちよく久しぶりの日向ぼっこをたのしんでいましたが、ふと気が付くと海氷上をさらさらと雪が流れ始めていました。あとで考えると、そのときの「そよ風」は天候悪化の兆候でした。

そのときも天気が悪くなりそうだから帰ろうと、身支度をして歩き出しました。どのルートを通っても基地の建物群までは一〇分から一五分の距離でした。最短距離をとろうと、急な斜面を登りきると、もう北東方向からの風が強くまっすぐ前を向いて歩けないくらいでした。私たちは問題なく基地に帰りましたが、間もなく気象担当者からブリザードの注意報が出ました。「そよ風」を感じてから三〇〜四〇分でのブリザード襲来でした。私が南極で経験したもっとも急激な天気変化でした。

ブルーアイス　エッジも効かぬ　大陸斜面

内陸旅行のスタート地点S16から、上陸地点のとっつき岬への帰路、私は雪上車に乗らずスキーで降りることを試しました。およそ二〇キロのダウンヒルのスラロームコースです。とっつき岬からS16まで、雪上車のルートを示す旗をくくり付けた竹竿が並んでいます。途中にはクレバス地帯もありますが、それも竹竿に従えば危険を回避できます。天気も良好、風もないので、私はルートを外れないように注意すれば、雪上車よりは早く着くと予想して、滑り始めました。最初は快調でした、大陸斜面には適度な積雪があり、順調に滑りました。ところがしばらくすると雪のない斜面が出てきました。スキーのエッジを効かせながら滑っていましたが、そのうち完全なブルーアイスとなりました。てかてかの氷の表面は懸命にエッジを効かせようとしても全く歯が立ちません。固い氷の上をスキーはカラカラと音をたてながら滑ってしまい、スピードをコントロールすることが全くできません。

私のスキー技術ではとても滑ることはできないので、あきらめて追いついてきた雪上車に収容してもらいました。ブルーアイスのあることも気が付いていましたが、エッジがまったく役立たないとは思いませんでした。自然を甘く見た私の失敗で、南極の自然の力を改めて思い知らされた出来事です。

氷山の　流しソーメンで　春を知る

誰が始めたか定かではありませんが、昭和基地では氷山の上での流しソーメンが、生活へのアクセントをつけてくれます。流しソーメンをやりたくなるのは、温かさを感ずる一一月頃からでしょう。ソーメンは昭和基地で茹でて持っていきますので、寒いと始める前に凍ってしまいます。流しソーメンの話が出た時点で、どこでできるかを決めねばなりません。流しソーメンに適した氷山が近くにあるかどうかもわかりません。早速ボランティアが適した氷山を探しに行き、ソーメンを流す水路を作ります。

調理担当者はソーメンを茹で、気の利く隊員がお湯の入ったポリタンク数本を用意します。そして雪上車に分乗し、みんなでワイワイ、ガヤガヤ楽しみながら氷山に向かいます。全員がめんつゆの入ったお椀と箸を持ち水路に並んだところで、上からお湯に入れられたソーメンが流されます。ポリタンクのお湯もそのころには冷めて水になっています。

ソーメンはうまく流れることもありますが、大きな塊のことが多いようです。そのたびごとにあちこちで大声が聞こえます。一〇分もすればすべてのソーメンが流し終わります。

冬を越した隊員たちにとっては、春が来たことを実感する行事です。

好天に　身体が動く　南極の春

一一月になると昭和基地は陽射しも強くなり春の訪れを感じます。陽射しは強くなっても平均気温はマイナス七℃、最高気温はプラスになったことはありますが、それも六〇年間で数えるほどで、平均の最高気温はマイナス四℃です。日本では真冬の気候です。

しかし、人間の本能なのでしょうか、明るい太陽のもとでは、人の動きが違います。北海道・札幌の真冬の気温よりはるかに低いのですが、基地生活で厚着をしなくなります。ちょっと屋外に出るときもそれまでは着ていた防寒着を着る人はほとんどいません。

着衣が軽くなるためか、皆外に出ることを好むようになります。屋外の共同作業に参加する人の数も増えてきますし、その動きも活発です。極夜を乗り切り、間もなく帰国できるという自信と解放感の相乗効果ではないかと思いますが、興味ある現象です。

冬はあけましたが、日本に帰国できるのはまだ五カ月も先の話です。

基地では一一月頃から、新しい隊の受け入れ準備を始めます。建物の周囲の除雪、ドリフトで車両が通れないヘリポートまで、道路の除雪、ヘリポートの除雪など、やらねばならない仕事は多いです。時間のあるとき、個人個人がやる作業のほか、時間を決めて参加できる人が一緒にやる共同作業などで、基地の中を整備してゆきます。

一一月に入ればブリザードはほとんど襲来しなくなりますが、皆無ではありません。やっと除雪が終わったと思ったら、ブリザードがきて、またやり直し、などという事も起こります。

しかし、このころになりますと、多くの人が、体を動かすことを苦にしません。むしろ楽しそうに屋外作業に従事しています。凍結している個所はツルハシをふるって、氷を除きます。そんな労働になると、何のためらいもなく上着を脱いでシャツ一枚で作業をする人が出てきます。気温は氷点下でも、強い陽射しと労働で額には汗が光るほどです。

この季節、風がない好天の日は、シャツ一枚でも寒さを感じません。肌を風にさらせば寒いですが、そうでない限り、薄着でも過ごせるほどに、身体が慣れたのでしょう。

念願の　布団が干せた　初夏の基地

一二月に入ると天気の良い日は、昭和基地は非常にのどかです。荒涼としていた冬を忘れさせてくれるように、周囲が新鮮に見えます。雪が融けだし、岩肌が露出してきた周辺の丘陵は、白一色よりもコントラストが付くからでしょう。

私が越冬していたとき、そんな日には誰からともなく、屋外で布団干しをする人が出てきました。私などは一年間板張りのベッドの上のマットに、布団を敷きっぱなしでした。時折、布団の下に手を入れてみましたが、あまり湿り気も感じませんでしたので、安心して万年床でした。昭和基地の建物は気密性が高く暖房もしているので、乾燥しているのです。

乾燥がひどいので、静電気が起きます。不注意に物を手渡したりすると、火花が出ることすらあります。それだけ乾燥がひどいのです。

蒲団を干すとはいえ物干竿があるわけでもなく、屋外にたまたま置いてあった木箱やドラム缶の上に並べるか、岩の上に並べるかです。そんな干し方でも二、三時間も干せば、布団はふっくらとします。夜は久しぶりに日光の匂いのする布団に寝ることができました。

檜風呂　サウナも楽しむ　昭和基地

日本人の生活にとって風呂は絶対に必要な設備といえるでしょう。最高のリラックスタイムです。男社会ですらトイレは何とかなっても、風呂は簡単にはいきません。ですから宗谷の時代でも、檜の風呂が用意されました。檜風呂はふじの時代にも引き継がれました。しらせの時代に入り風呂の数も増え、ステンレスのバスタブセットが導入されましたが、昭和基地の水事情も改善され、入浴は越冬生活に潤いを与えてくれる、名脇役と呼べるでしょう。

風呂に固執する日本人に対し、アメリカやニュージーランドの基地ではシャワーです。バスタブはありません。彼らの生活では湯の出るシャワーがあれば、身体の清潔は保て支障はないのでしょう。

スコットの時代の写真を見ますと、当然シャワー設備は無く、ブリキのバスタブが用意されており、その中にお湯を入れて体を洗っていたという写真が残っています。日本式にいえば、たらいより規模の大きな行水です。

シャワーしかないマクマード基地で驚いたのは、サウナ風呂があったことです。サウナで十分汗を流し、シャワーを浴びれば、清潔を保て十分に温まります。日本人の私でも温泉に入った気分になり、リラックスできました。日本では入ったことのなかったサウナ風呂を、私はマクマード基地で覚えました。南極点基地にもサウナはあります。

極寒の地でのサウナの効用を、私は折に触れ日本の南極関係者に話したり、書いたりしていました。しらせの時代になって昭和基地にもようやくサウナ風呂が併設されました。ただし一人用のドライサウナでほとんど利用されないようです。日本人はやはり風呂好きなのでしょう。

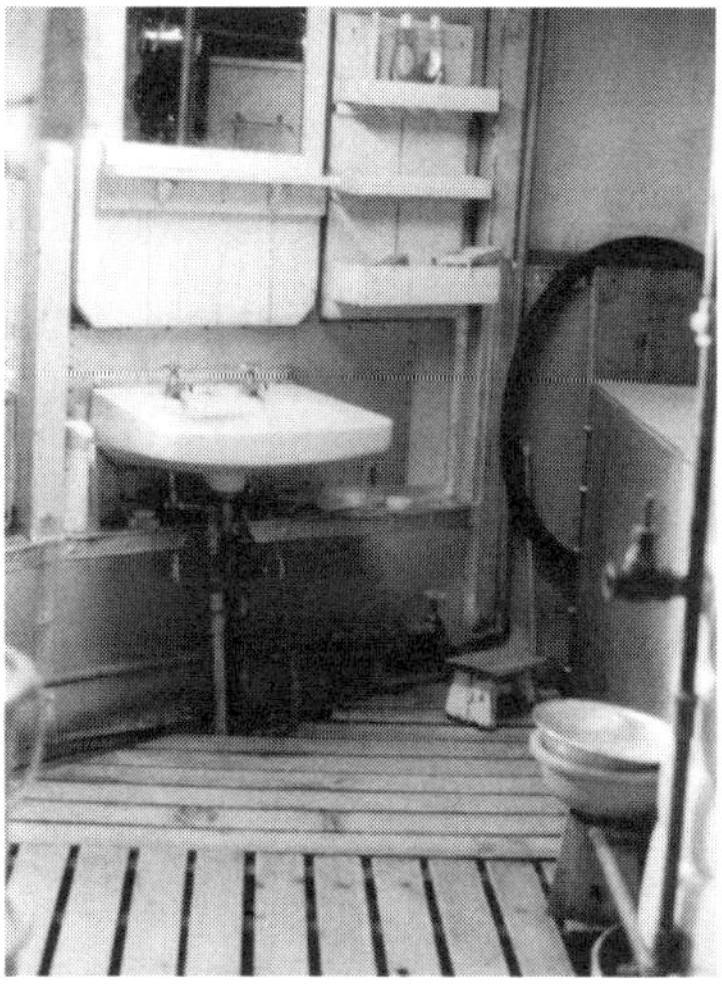
ふじ時代までの洗面所兼用の風呂場。右側が檜の浴槽

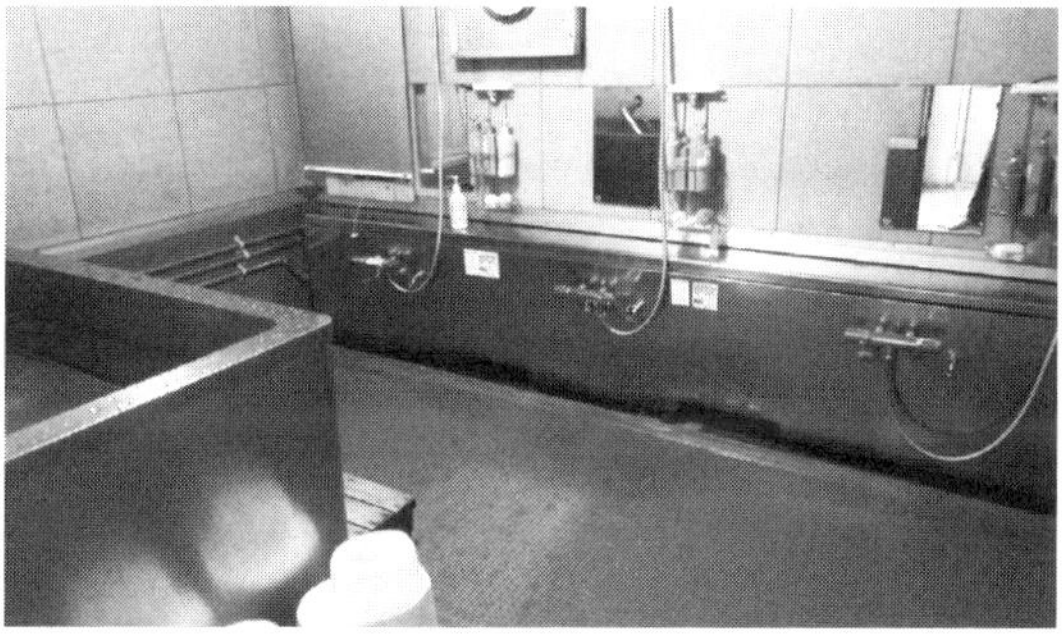
男子風呂場。現在は節水も気にせず入浴が可能となっている

酒の量　金では決めず　意志で決め

観測隊のアルコール類の飲み方には、一つのルールがありました。それは絶対に相手に酒を勧めない、注がないという事でした。差して差されてを繰り返して深酒になることを防ぐためのルールと云えるでしょう。昭和基地に持ち込まれるアルコール類の総量も限られていましたので、ちょうどよくバランスが取れていたのでしょう。

日本では、あまり飲むと支払いが大変だからと、酒量を自制することも多々あるようですが、南極ではお金の心配はしなくて済みますから、酒飲みにとっては昭和基地はパラダイスでしょう。

バーが設けられて以後は、あまりアルコール類を制限する話を聞かなくなりました。バーには高級な酒もありますが、それぞれが自制しているからでしょうが、その酒に注文が集中することもありません。ミッドウインターで羽目を外すようなことはあっても、日常生活ではそれぞれ気を付けているのです。

越冬隊の酒や煙草は、日本で出発前に食卓費として支給されたお金で購入します。これは個人には渡されず、隊が管理しますが、基本的には調理担当者が、食材や酒を食卓費で購入してゆきます。以前は煙草も食卓費で購入していましたが、近年は喫煙する人が少なくなったので、自分で用意することの方が多くなりました。

私が初めてアメリカのマクマード基地を訪れたときには、昭和基地には無い色々なことに驚かされました。その一つが食堂でソフトクリームが自由に食べられることでした。アメリカ人のアイスクリーム好きは知っていましたが、「まさか南極でも」という気持ちでした。マクマード基地ばかりではありません。南極点基地の食堂にも、ソフトクリームの器械があり、いつでも自由にソフトクリームが食べられるようになっていました。

その後、昭和基地にもソフトクリームの器械が導入されました。私が22次隊で越冬したときのことです。21次隊の調理担当者から、ソフトクリームの器械は雑菌の繁殖を抑えるため、掃除が重要で、特に節水しなければならない昭和基地なので器械を清潔に保たねばならないので大変だと注意されました。越冬が始まりソフトクリームをどのくらいの割合で供するかを、調理担当者と相談しました。持参したソフトクリームの材料の総量から、週二回は供することが可能と計算しました。そこでソフトクリームに関してはアルコール類が全く飲めず甘党の私が全責任を持つと宣言し、器械の掃除に責任を持ち、毎週二回行うことになっていた映画の上映日にソフトクリームも食べられるようにしました。

ソフトクリームの提供は予定通りに進んでいきましたが、ある時ふと気が付きました。最初のころは甘いものは好かないと云っていた、酒好きの連中が、いつの間にかソフトクリームを食べるようになっていました。ソフトクリームをなめながら映画を見ている甘い物好きを見て、つい自分もと手が出るようになったのだと思います。

ある日、内陸のみずほ基地に滞在していた隊員たちが六カ月ぶりに昭和基地に戻ってきました。その日はソフトクリームの日ではありませんでしたが、彼らのためにソフトクリームを用意しました。久しぶりの珍しい味だったからでしょうか、一番たくさん食べた人は二時間ぐらいの間に一三コーン食べたそうです。

このように若干の余裕をもって、越冬が終わるまでソフトクリームを供することができました。

「酒飲みも　ついつい手をだす　ソフトクリーム」でした。

昭和基地　気が付いたら　自分の家

一一月中旬、迎えの船が日本を出航したというニュースを聞いても、隊員たちは帰国するという実感は湧いてきません。船の到着まではまだ一カ月以上も先の話で、家族に会えるのは四ヵ月も先の話です。新しい隊の受け入れ準備はしなければなりませんが、自分の帰国準備には手が出ない人がほとんどのようです。

新しく到着した人たちは昭和基地での越冬が決まり、各人に個室が与えられます。しらせの時代に入り、宗谷やふじの時代より広くはなりましたけれども、個室の広さは七・五平方メートルほどですから四畳半ほどの広さです（六三頁写真参照）。

しかし、その空間は広い南極大陸の中にあって、誰にも侵されない、自分一人だけに与えられた空間です。そう考えたとき、少なくとも私は感激しました。それから一〇カ月、与えられた個室は完全に自分のものになっていました。

基地での仕事が主な隊員は、毎日の食事もすべて基地の食堂でとってきました。朝、昼、晩三度の食事を、同じ顔ぶれで一年間とり続けることは、どんな家族でも日本では考えられないでしょう。でも昭和基地では三度、三度の食事を、ほぼ同じ顔ぶれでとり続けているのです。そこには自然と目に見えない連帯感、最近の流行語では絆が生まれています。

新しい隊が到着し、忙しい輸送が終わるころ、ふと気が付くと自分が個室を離れるときが、目前に迫っているのです。彼らにとってはいつの間にか昭和基地が自分の家になっていました。何となく離れがたい気持ちを断ち切る決意をして、昭和基地を後にするのです。

ゴミ出さぬ　精神で生まれた「悪魔のおにぎり」

昭和基地で提供した料理のレシピが、日本国内のコンビニエンスストアに買い取られ、極地研究所したがって国にも利益が得られた例があります。57次隊の調理担当隊員は洋食が専門で南極二回目の男性隊員と、南極へ憧れ隊員に挑戦して三回目でその夢が実現した和食が専門の女性の二人のシェフでした。帰国後話を聞くと、二人は良いコンビだったようで、男性隊員は自分の経験をよく伝え、初めての女性隊員は先輩の助言をよく聞き、昭和基地の環境を理解して仕事に励み、隊全体が豊かな食生活を送れたようです。ですから話を聞いただけでも、この時の隊員は食生活が楽しめ幸せだったろうと思います。

そんな背景で生まれたのが「悪魔のおにぎり」です。本人によればその始まりは以下の通りです（『南極ではたらく』渡貫淳子、平凡社、二〇一九、八四頁）。

昭和基地の夜食のひとつ

> ある日のお昼ごはんは天ぷらうどん。その時に出た天かすをリメイクすべく、天つゆで味付けしたご飯に天かすを投入。アクセントが欲しいなと思ってあおさのりを加えた。(中略)私自身は「たぬきのおにぎり」を作ったつもりだった。
>
> 多種多様なおにぎりの中でも好評だったので天かすが出るたびに「たぬきのおにぎり」を作っていたのだが、そのおにぎりを前に思い悩んでいる一人の隊員がいた。
>
> 「持って行っていいよ」と声をかけると、「いや、このおにぎりって悪魔っすね。うまいから食べたいんすけど、絶対カロリー高いじゃないですか。こんな時間に食べるには危険なんだよな」。結局。その隊員はおにぎりを持って立ち去ったのだが、それ以降、「たぬきのおにぎり」は「悪魔のおにぎり」と呼ばれるようになった。

昭和基地は二四時間稼働している社会です。気象隊員や基地の発電機や水道などを担当する機械隊員、さらに夜の季節にはオーロラを観測する隊員など必ず、毎夜、勤務している人がいます。

このように夜勤をする人のため夜食は必須で、それにお相伴をする人の分を含めて、調理担当者は必ず夜食を用意しています。夜食の一つのメニューが手軽に食べられるおにぎりで、「多種多様」なおにぎりが供されています。

さらに昭和基地では食品も含めて、用意されている品数も量も限られています。また基地ではなるべくごみを出さないことも必須です。ですから天かすをゴミにするのではなくリサイクルすることによって、ごみを減らし新しい味が創り出されたのです。担当隊員が創作した「かあちゃんの味」です。

帰国後、昭和基地でのそんなエピソードが話題になり、大手コンビニの目に留まり、ネーミング権が買い取られ、多少なりとも公費にお金が入ったのです。そのため国民もコンビニで「悪魔のおにぎり」を購入することにより、昭和基地の味を楽しむことができます。人気があるのか我が家の近くのコンビニには、たまに買いに行っても一個か二個あるかないかですが、それでも越冬隊員はこれを夜食に食べて観測していたのだなと、かつての自分を重ねて、南極の味を楽しんでいます。

『復活の日』思い出させた　コロナウイルス

二〇二〇年元旦、日本列島はオリンピックイヤーを迎え、期待に膨らんだ新年でした。その期待は一ヵ月足らずで、暗雲が漂い始めました。中国武漢での病気の流行が伝えられ始められたのです。二月になると、その病気はコロナウイルスによる感染症だと知られるようになり、その防疫が、世界的規模で行われ始め、国際的な課題に広がりました。世界各国で入国が制限され始めると、私はすぐ南極での感染が気になりだしました。昭和基地で過ごしている日本の隊員は、病気が流行するはるか前の一二月には、オーストラリアを離れており、その後は、観測船内の人たち以外との接触は皆無のはずですから心配はないのですが、二月頃まで観光客の訪れている南極半島の各基地では、感染の可能性がありました。しかし、数カ月たってもそのようなニュースが聞こえてこないので、南極大陸は、今回のコロナウイルス騒動からは免れたようです。

昭和基地は大丈夫と思いながら、私は『復活の日』を思い出していました。『復活の日』は小松左京のサイエンスフィクションですが、その要旨は以下のようです。

そのプロローグで著者は、昭和基地で越冬していた主人公で地震研究者の吉住利夫に、全員が死に絶えた日本の首都の姿を見せています。東京湾入り口付近まで進入した原子力潜水艦の潜望鏡から、望遠レンズを使い、一二〇〇万都市の骸が吉住の目には焼き付きました。それと同時に変わらぬ美しさの富士山に涙しています。

時代背景は一九六〇年代後半から一九七〇年代前半、世界は米ソ冷戦の真最中でした。

世界中に「チベット風邪」が流行し、感染した人たちは次々に死んでゆきました。本国との連絡が取れなくなった南極の各基地は心配を始めました。昭和基地でも呼び掛けてもなかなか応答の無い銚子無線局とのやり取りや、南極各基地間の交信で次第に事態の深刻さに気づき始めました。

断片的な情報から、各国の病院は押し寄せる患者たちに懸命に対応しながら、自らも倒れてゆく医療従事者たち、国の崩壊を目前にしながらも、国家間の対立を克服できない政治家や軍関係者など、様々な立場の人々の姿が分かってきたのです。

事の重大さに気が付いた南極の各基地は、緊急無線会議を開催し、地球上で起こりつつある現実を理解し、各基地が協力して、南極に居る人たちだけでも生き延びてゆく話し合いが続けられました。結局、各国の基地は一つの共同体としての生活が始まり、四年間が過ぎ、何人かの子供も生まれました。

単なるインフルエンザの流行と思われていた「チベット風邪」は未発見のウイルスで、人類が死に絶えた後も、南極以外の大陸では生き続けていました。南極からは毎年そのウイルス調査のために保有している二隻の原子力潜水艦を北へ派遣して監視を続けているのでした。冒頭の吉住は自分の研究のために、乗船して世界の海を回っていたのです。

吉住はその過程で、近い将来、アメリカの東海岸で巨大地震が発生する可能性を予測しました。それを知ったアメリカ隊とソ連隊の関係者は驚きました。大地震が発生したら、ホワイトハウスの地下のミサイル発射装置は、敵の攻撃と判断して、ミサイルを発射する、するとモスクワでも、アメリカのミサイル発射を受けて、ミサイルが発射される、地球上は放射能で汚染され、その汚染は南極にもおよび、人類は滅亡するというのです。

吉住は地震発生前にホワイトハウスに到着し、ミサイルのスイッチを切る大役を担い、原子力潜水艦でワシントンにむかいました。彼はホワイトハウスにたどり着き、地震発生とほぼ同じ瞬間にスイッチに手を触れました。

「厄年」から数えて九年目、南米の南端に粗末な船で到着した人たちがいました。その一団の前に亡霊のように現れたのは、ワシントンから何年かかかって南米南端まで歩いてきた吉住でした。南極から到着した人たちは彼を認めました。

人類を死滅に追い込んだウイルスを死滅させたのは放射能でした。そして吉住はホワイトハウスの地下九階に居て、なんとかミサイルの惨禍を免れたが脳に重大な障害を負ったと推測されたのです。

『復活の日』の初版本は一九六四年に発行されました。一九七九年に角川映画が映画化し、日本とアメリカで一九八〇年に公開されました。日本での題名は『復活の日』でしたが、アメリカ版は、ずばり『ウイルス』でした。

一九七九年ごろのある日、私は極地研究所の事務方から、「南極の映画が作られる、ついては情報が欲しいというので対応してくれ」と依頼されました。私は生来映画にはあまり興味がありませんでしたが、研究所への依頼というので、云われるままに関係者に会いました。その相手が主役の吉住周三（映画では利夫ではなく周三）役の、当時はまだ若手俳優だった草刈正雄さんと担当の助監督の方でした。

正直、その時お会いするまで草刈正雄なる俳優さんは知りませんでした。お会いして話しているうちに草刈さんの真摯な態度に魅かれていきました。草刈さんの話のポイントは以下の二点でした。

一、国際映画なので外国の俳優に負けないような演技をしたい。しかし、地震や地震学者についての知識はないので、役作りのイメージがわかないので、お会いできてよかった。
二、英語のセリフが多いので、英会話の勉強をしている。セリフの英語は、普通の英会話とは異なるというので、紹介されたカナダの若い女性と毎日のように会って話をし英会話の力を磨いている。

その後、草刈さんは極地研究所に来られて、私の部屋でコンピュータに触ったり、地震の記録を見たり、所内の展示物を見たりして、南極や地震の知識を身につけられていました。私も二〜三回撮影現場を見させてもらいました。今まで私と談笑していた草刈さんが「本番」の掛け声とともに、顔が一変する姿に、役者というものの本領を垣間見ました。

角川映画が私を指名したのは、「南極に行った地震学者」だったからです。もう一人先輩でおられましたが、南極に行き続けているのは私だけでした。ですから『復活の日』のモデルは「カミヌマ」とのうわさがあったようですがそれは違います。『復活の日』は私が初めて昭和基地を訪れた一九六七年より前に出版されていました。

小松左京は一九七〇年当時、東大地球物理学教室の教授・竹内均と旧制の第四高等学校（現金沢大学の前身）で同級生でした。その関係で、竹内からは地球や自然科学の知識を十分に得ていたと想像しています。小松が『復活の日』の前に出版した『日本沈没』も大きな話題を呼びました。映画化もされました。竹内は映画『日本沈没』にゲスト出演して、総理大臣に日本沈没の仕組みを説明する大学教授役を務めました。小松は『復活の日』の執筆でも科学的知識は竹内から得ていたでしょう。

映画『復活の日』で「我が意を得た」場面がありました。地震学者・吉住周三が潜水艦の潜望鏡で死んだ大都市東京を眺めながら、恋人と別れて南極に行くシーンの回想でした。

「地震と南極……それがあなたのすべてだもの」

当時の日本で、この言葉が当てはまるのは私以外には居なかったのです。

『復活の日』では「チベット風邪」が蔓延しました。コロナウイルスは中国武漢で最初の発症が確認されました。発症地の名を取り「ウーハン（武漢）ウイルス」と呼ぶべしの意見も出ています。エボラ出血もそうですが、発症地の名前を付けた方が分かり易い気がします。ちなみにチベットは中国最大の河川・長江の源流、武漢は中流から下流に位置します。

コロナウイルスで世界中の人が感じたことは「何も悪いことはしていないのに、なぜこんなひどい目に合うのか」という感情だったでしょう。誰が気が付いたのか、三月頃から日本国内では『復活の日』が読まれるようになったようです。自宅にいる時間の多い人はＤＶＤを借りたという人も出てきました。再販の新聞広告も目にしました。

昭和基地でも私が残してきたビデオははるか昔に消失していたでしょうが、メールで日本から送ってもらい見ているとの連絡が来ました。日本で話題になった映画が時間を置かず南極でも見られる時代になったことも驚きです。

南極観測が継続できるのも、世界が平和であることも重要ですが、それ以上に地球上が平穏・無事でなければならないことを、コロナウイルスは示してくれました。

第6章　外国基地

南緯六〇度以南の地域は、国際的には南極条約で守られています。条約に加盟し、条約を遵守する限り、例えどこかの国が領有権を主張している地域でも、ビザなしで自由に活動できるのです。南極条約はまた各国間の科学者の交流やデータ交換も積極的に推奨しています。お互いの了解さえあれば自由に交流できる南極は「政治的パラダイス」であり、人類の目指す、あるべき究極の姿と云えます。

南極点　世界一周　本当か

　世界一周は旅行好きの人にとっては、魅力があります。南極点や北極点付近では、簡単に世界一周ができると、話題になります。世界一周とは一度の旅行で、地球のすべての経度線を横切ることです。その距離は赤道上ではもっとも長く、両極点付近ではもっとも短くなります。

　経度線は南北両極点に集中します。地球上のどの地点の位置も緯度と経度によって示されます。ところが南極点と北極点は、南緯九〇度、北緯九〇度と緯度だけでその場所が示される特異点です。南極点は南極大陸の上にありますが、北極点は北極海に位置しています。

　北極点観光のときは、観光船がＧＰＳで決めた北極点付近に停泊し、極点と測定された地点に目印の旗を立て、観光客は海氷上におりて、その標識に向かうのです。この場合、その旗印が、北緯九〇度の近くであることは間違いありませんが、北緯九〇・〇〇〇度かどうかは分かりません。その時の条件にもよりますが、緯度にして〇・〇〇一度、数十メートルから二〇〇～三〇〇メートルの誤差はあるでしょう。

20世紀終わり頃に建てられた南極点を示すセレモニー用ポール。南極条約原署名12カ国の国旗が半円形に囲むが、日の丸はいつも右端に立っている

南極点では基地の近くに、ポールの上に銀の球を乗せた南極点の標識が立っています。そのポールの脇には「南極点、南緯九〇度、標高二八〇〇メートル……」などと書いた説明板が立っています。南極点を訪れた人たちはそのポールの脇に立ち、記念写真を撮り、その周囲を回り、世界一周したと喜びあいます。実はこのポールは訪れた人たちが確かに極点に来たと分かるために建てられている「セレモニー用ポール」です。南極点付近の氷床は厚さが二七〇〇メートルあり、一年に一〇メートルぐらいの割合で、西経四七度の方向に流れていきます。

アメリカ隊は毎年一二月末にGPSで南極点を測定して、その翌年の南極点とします。「二〇二〇年の南極点」というように、標識を立てます。この標識の点を「リアルポール」と呼んでいます。一九七五年にアメリカは国際地球観測年時代の建物をすべて放棄し、新しい基地を建てました。そのとき、建物の近くに改めて「セレモニー用ポール」を立てました。そのころリアルポールはセレモニー用ポールから二〇〇メートルほど離れていましたが、年々二つのポールは近づいてきて、ついにほとんど重なりました。二〇世紀の終わりにアメリカは三代目の南極点基地を建設し、セレモニー用ポールも立て替えました。リアルポールもそれ以前と同じように毎年測定をして標識が建てられています。

したがって、せっかく憧れた南極点を訪れ、セレモニー用ポールの周囲を回っても、世界を一周したことにはならないのです。毎年元旦前にリアルポールが測定しなおされ、標識が建て直されますから、そのころ標識から一〜二メートルの所を回れば、確実に全経度線を横切り、世界一周をしたことになるでしょう。

南極点　日の出　日の入り　いつも北

北半球の秋分の日の少し前に、南極点では半年の極夜が終わり日の出を迎えます。地平線の一点がかすかに赤くなり、その明るさが地平線の上を毎日ぐるぐる移動していきます。明るさは日増しに強くなり、赤から紅へと変化し、朱になったときに太陽の頭が地平線上に現れます。半年ぶりの日の出の瞬間です。現れたと思った太陽は再び地平線下に隠れたりします。気温が変化して、光の屈折が変わり太陽が見えなくなるのです。そんなことを繰り返しながらも、太陽は地平線上に丸い姿を現し、夜の無い季節が始まります。

その丸い太陽は地平線上を転がるように移動していきます。南極点基地の時間は便宜上マクマード基地と同じで、世界時より一二時間進んでいます。しかし、太陽は午前〇時にに見ても、午後〇時に見ても地平線上のほぼ同じ高さを回っています。基地の建物があるから、その動きは分かりますが、地平線と太陽の姿は一日中同じです。

一二月二一日頃の南半球の夏至の日には太陽の高さは最大の二三・五度に達します。それから太陽高度は少しずつ低くなり、北半球の春分を過ぎると、太陽は地平線下に没します。日没です。太陽が没しても、その地点は明るく見えます。その位置が地平線上を移動しながら回り、だんだんと明るさが減じ、全天一日中暗い夜の季節、極夜になるのです。

日の出も日の入りも気温に左右されますから、経度線のどの方向で日の出になるのかは予測できません。しかしすべての方向が北の南極点です。日の出も日没も北であることは間違いありません。

荒涼の　中に突然　枯山水

南極大陸の沿岸には冬でもあまり雪の積もらない無雪地帯があります。ロス海南西岸にはドライバレーと呼ばれる、四〇〇〇平方キロメートルの南極最大の無雪地帯があります。ドライバレーには大きなU字谷が三本東西に走っています。どの谷も南側と北側は高さ一〇〇〇〜二五〇〇メートルの山々が並び、谷の幅は一〇キロメートルもあります。それぞれの谷には氷河によって運ばれたモレーンと呼ばれる岩塊が堆積した丘があったり、氷河が削った窪地に水が流れ込んだ湖水が点在したりしています。谷底の標高は二〇〜三五〇メートルです。

ゆったりとした変化はありますが、谷全体はかなり平坦です。夏になると周辺の山々を覆う氷河の融氷水の流れもあります。湖水はそのような融氷水によって夏の短い間に涵養され、年間を通じほぼ一定の深さが保たれています。

夏は降雪があっても、ほとんどは地上に積もることはありません。山の岩石が露出して見える岩肌が白くなっているので、雪が降ったことが分かる程度です。

荒涼とした平坦な谷底を歩いていると、場所によっては砂が堆積しているので、海岸を歩いているような感じを受けたことがありました。また岩盤のむき出しになっているところは、風化により岩石が破壊され、凹凸の変化に富み、枯山水の庭かと錯覚する風景にも出会えます。

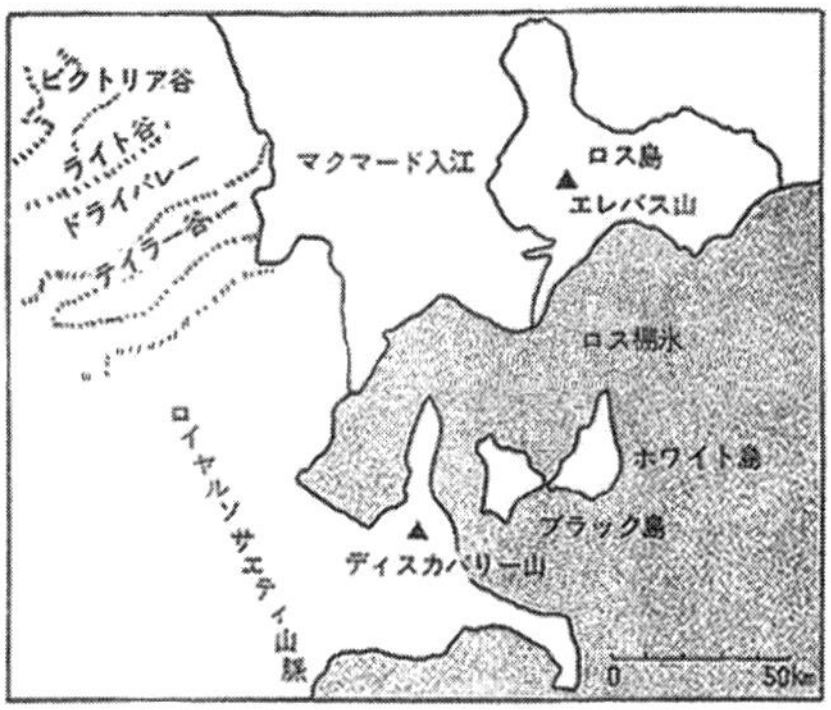

ドライバレーの地図（『氷の大陸　南極』玉川選書より）

海岸から数十キロ離れたそんな谷底で、アザラシのミイラに出会うことがあります。調査の結果、ドライバレー全体で二〇〇体ぐらいのアザラシのミイラが確認されています。ペンギンのミイラが確認されたこともあるそうです。なぜそんな内陸にアザラシのミイラがあるのか謎でした。私は津波で流されてきた可能性もあるのではと考えたこともありました。ヘリコプターのパイロットが、内陸の氷の上を歩く（はいずる？）アザラシを確認して以来、谷に迷い込んだと考えられるようになりました。

砂　小石　砂浜と錯覚　ドライバレー

一九〇二年から一九〇三年にイギリスのスコット隊は越冬基地からマクマード入り江の対岸を調査していました。副隊長のアーミテイジらはフェラー氷河を登り詰めて、内陸氷原に達しました。前方には見渡す限りの氷原が広がり、南側と北側には数個の峰々が突き出ていました。標高二〇〇〇～四〇〇〇メートルの南極横断山地のロイヤルソサエティ山脈に初めて足跡を印すとともに、南極大陸の大氷原を目の当たりにしたのです。

一九〇三年一二月、スコットらはアーミテイジのルートをとり内陸氷原に達しました。彼らは氷原を三六〇キロほど進みましたが、強い風によって雪が削られ形成されたサスツルギのほかは、何一つ目立ったもの、山も丘もない事が分かりました。帰路彼らは北側にルートをとり、南極横断山地を越えて下り始めました。ところが氷原の氷はそこでぷっつりと消え、フェラー氷河の北側一帯に広がる無雪地帯を発見しました。スコットはその無雪地帯を「ドライバレー」と命名し、「死の谷」と呼びました。

ドライバレーの谷底には平坦な地域も広がっています。そこはほとんど砂地が広がりところどころに小石が落ちているような、あるいは小石を敷き詰めたような地域が広がっています。海岸からは数十キロも離れた地域ですが、歩いているうちに砂浜を歩いているような錯覚に陥りました。

砂の上　いまだ手付かず　ヘリの残骸

ドライバレーで墜落したヘリコプターの残骸を見たときは、衝撃的でした。ドライバレーを東西に走る三本の谷のうち中央のライト谷を海岸から内陸に向かいニュージーランドのバンダ基地を目指しているときでした。ＩＧＹのころは越冬もなされましたが一九七〇年代になっては、夏だけ人が常駐して、内陸調査の拠点になっている基地です。

バンダ基地はバンダ湖の湖畔に建設されており、まさに砂漠の中のオアシスの役割を果たしています。日本の調査隊もこの地にキャンプして、湖水の調査などをしておりました。

そのライト谷を海岸から西へ飛行していたときのことです。前方にキラッと光るものが見えました。注視しているとヘリコプターはその脇をゆっくりと低空飛行で飛んでくれました。私に残骸の様子を見せるためでした。機体の尾部は原型を留めていましたが、前方は完全に破壊されていました。

ドライバレーのど真ん中でこんなヘリコプター事故が起きたことが衝撃でしたが、事故から一〇年以上が経過しても現場が手つかずにしてあるのも驚きでした。大自然の中に放置されたままの、破壊されたヘリコプターは、環境保護の立場からは許されないかもしれませんが、事故当時はそのような意識は無かったと思います。現在もそのままかあるいは回収されているのか、アメリカの友人たちも情報は持っていないようです。

南極石　出たり消えたり　ドンファン池

ドライバレーの中央を東西に横たわるのがライト谷です。海岸から五〇キロほど内陸に入ったところに、バンダ湖があります。信州の諏訪湖とほぼ同じ面積のこの湖の湖面は夏の短い期間を除きほとんど凍結しています。バンダ湖からさらに一二キロほど内陸に入ったところにドンファン池があります。

ドライバレー・ライト谷のドンファン池。白っぽく見えるのは塩分の晶出のため

南と北は谷の絶壁に、東と西はモレーンの丘に囲まれた標高一二二メートルの谷底に位置しています。東西七〇〇メートル、南北三〇〇メートルの長方形で、水深は一〇センチ、夏の水が流れ込むときには三〇センチぐらいの深さになります。池というよりは低地の広い水溜まりという感じで、湖面には大小の石が転がっています。

一九六三年一二月、この池を調査した日本人化学者たちが、池の中に白色針状結晶が析出しているのを発見しました。この結晶を持ち帰り分析した結果、塩化カルシウム六水塩であると同定されました。初めて南極で発見された天然に存在する鉱物で、「南極石」と命名されました。その結晶は一〇センチにも成長し、素人の私には塩の塊に見えてしまいます。池の水はそれほど塩分に富んでいます。黒いゴム長靴でうっかり池の中に入った後は、池から出るとたちまち靴の表面に塩分が白く晶出します。

一九六九年七月、ニュージーランドのバンダ基地で越冬していた隊員が訪れたとき、外気温がマイナス五四℃と低温だったにもかかわらず、ドンファン池は結氷しておらず、ドライバレー地域でただ一つの不凍湖と考えられています。塩分濃度は海水の六倍以上です。舌で味見をしてみましたが、塩辛いというよりは苦いです。

池が浅いので塩分濃度や水温は融氷水の流入に左右されるようです。南極石が析出しない年もあるようです。一九七六年一一月二三日に私が訪れたときには、まだ析出しておらず、続いて一二月六日に訪れたときには、見事な結晶が見られました。

ドンファン池の名の由来は、池を発見した二名のヘリコプターパイロットの愛称「ドン」と「ジョン」を並べ、ユーモアを交えてフランス語読みにしたのだそうです。

寺社は無し　教会はある　南極の基地

これまで昭和基地に昭和寺、あるいは昭和神社を置こうなどという議論は一度もなされてはいないと思います。ところが欧米のほとんどの基地にはキリスト教の教会があります。大きな基地では独立した建物として、教会が建てられています。基地によっては大きな集会所がある建物の中に一室を設け、十字架やマリア像を置き祈りのスペースにしています。

南極最大のマクマード基地では、教会は「チャペルオブスノウ」と名付けられ、牧師も常駐しています。クリスマスはもちろん、毎日曜日にはミサも行われています。プロテスタント、カトリックそれぞれのやり方で時間をずらして両派のミサが行われています。

一九七〇年代にあったチャペルオブスノウの礼拝堂の片隅には懺悔室も置いてありました。ヨーロッパの教会で懺悔室の中にいる牧師に向かい男性が涙を流しながら話しかけている場面を見たことがありますが、南極ではそのような経験はありません。

マクマード基地のそのときの教会はその後火災で焼失してしまいました。前の建物よりさらに立派な教会が建てられましたが、懺悔室は設置されていませんでした。

チリのフレイ基地は家族が住む村が併設されていますが、やはり教会の建物はありました。ただ牧師さんは常駐しておらず、クリスマスなど必要に応じ本国から来ていると説明をうけました。

十字架と　原子炉のあと　観測の丘（オブザベーションヒル）

マクマード基地の南東端に、オブザベーションヒルと呼ばれる標高一七〇メートルの小山があります。山頂からは北東側に広がるエレバス山、テラ山などロス島全体の風景が見渡せる展望台です。西側にはマクマード入り江を挟んで南極大陸が広がり、北から南へ続く南極横断山地が横たわっています。そして南にはロス棚氷の雪原が果てしない様相を呈しています。

一九一一年一一月、スコットの一行が南極点を目指していたときには、二〇キロ北のエバンス岬の越冬基地から出発しています。そして帰路一九一一〜一二年の年末から、新年にかけ、留守部隊からは毎日のように何人かがこの丘に登り、南の方向を凝視続けていました。スコットら極点旅行隊の帰還を待っていたのです。結局スコットらの無事帰還しての再会の願いはかないませんでしたが、彼らはこの丘の山頂に、遭難死した五名を追悼するため、その名を記した十字架を建てました。その十字架は現在では南極の史跡に指定されています。

マクマード基地が建設されてすぐ、この小山の麓に原子力発電所が設けられました。南極では初めての試みでした。原子力発電所は十数年間稼働しましたが、一九七五年ごろには閉鎖され、完全に撤去されました。一〇年程度の稼働期間で撤去された理由は発電所の維持に経費が掛かりすぎるからという事でした。

オブザベーションヒルはマクマード基地を訪れた人たちにとっては、観光スポットの一つです。

マクマード基地、オブザベーションヒルのスコットら５名を追悼する十字架

かんらん岩　ここでは容易に　入手でき

かんらん岩は地球内部のマントル上部を構成する岩石で、英語ではペリドタイトと呼ばれます。その大きなオリーブ色の結晶が宝石のペリドットで、珍重されています。ハワイでは「ハワイアンダイヤモンド」の名称で販売されています。

地球内部の岩石なので、地表面付近で見られることは稀で、非常に貴重な試料であると、学生時代には教育されました。ところがロス島を歩くといとも簡単に、このかんらん岩に出会うのです。それはロス島が流れ出てきた溶岩や火山噴出物で構成されているからです。

ロス島の溶岩は黒っぽい玄武岩が多いです。玄武岩もまた地球内部・地殻下部やマントル上部を構成する岩石ですが、ロス島では火山噴火によって島全体に分布しています。その玄武岩溶岩が噴出するとき大量のかんらん岩を捕獲して地表に運んできます。ロス島を歩くと至るところで黒い玄武岩の中に薄緑色のかんらん岩があるので、少し岩石に関心のある人でしたら、すぐ気が付きます。私のように知識がない人間でも簡単に試料の採取は可能です。

ハワイ島の火山もロス島の火山と同じ、玄武岩の溶岩を噴出しますので、その中にかんらん岩が含まれているのです。

築百年　観光資源で　再評価

ロス島は二〇世紀の初頭、英雄時代と呼ばれた時代の南極探検の舞台でした。その最盛期、イ

ロス島エバンス岬のスコット隊が1910～12年に越冬した小屋。背後の山はエレバス山（3794 m）

ギリスが南極点初到達を目指し、国運をかけて三回、探検隊を派遣しました。その三回の探検隊がそれぞれ建てた小屋が現在も残っています。

一九〇一～〇四年、イギリスはスコットを隊長とする探検隊を南極に派遣しました。スコット隊はディスカバリー号で南極に向かい、一八四一年一月、やはりイギリスのロス隊が発見したロス海からロス島を目指しました。ロス隊の発見した活火山のエレバス山から南に延びた半島の末端に小屋を建て、船とともに越冬しました。現在小屋のある岬はハット岬、半島はハット岬半島と呼ばれています。この時のスコット隊は南極点を目指すより、南極を知ることに重点が置かれました。ドライバレーの発見もその一つです。

スコット隊に参加しながら壊血病のため、

ひと冬で帰国したシャクルトンは、南極点と南磁極の到達を目指して探検隊を組織しました。一九〇八年、彼らはロス島西岸中央付近のロイズ岬に小屋を建て越冬しました。エレバス山の初登頂、南磁極への初到達はなされました。しかし南緯八八度二三分の地点まで達しましたが、南極点到達はかないませんでした。極点旅行中に南極横断山地の中で石炭や植物の化石を発見しました。南極にも植物の繁茂する時代があったことを示す大発見です。

一九一〇〜一二年、スコットは南極点を目指した探検隊を組織し再び南極に向かいました。そしてハット岬から二〇キロほど北のエバンス岬に小屋を建て越冬し極点を目指しました。スコットは内陸旅行の輸送に馬そりを使いました。しかし期待した馬は役に立たず、人力でそりをひき、予定より一カ月遅れて南極点に到達しましたが、そこにはノルウェーのアムンセン隊のテントとスコットに宛てた手紙とが残されていました。彼らは基地に戻ることなく途中で力尽きました。

この三回の探検隊の越冬小屋は、一〇〇年以上の歳月がすぎた今日でも、ニュージーランド隊によって、管理され立派に保存されています。エバンス岬の小屋は、それぞれのベッドを使った人の名前が分かるように、各人の名前が書かれた紙が置かれ、『世界最悪の旅』で捕獲したと思われるコウテイペンギンのミイラが置いてあったり、小さな博物館のようです。この地を訪れた観光客は必ず訪問する観光スポットになっています。

ロス島から東へ六〇〇キロ離れたロス棚氷の北東端地域では、一九一〇〜一二年に二つの探検隊が活動していました。ノルウェーのアムンセン率いる隊は棚氷の上に小屋を建てフラムハイムと命名しています。そこから出発した犬ぞり隊は一九一一年一二月一四日、南極点に初到達を成し遂げました。

日本の白瀬隊も、同じころ棚氷の末端に小屋を建て、南極点を目指しました。一九一二年一月二八日、南緯八〇度〇五分の地点を最終地点として引き返しました。

アムンセン隊の小屋も白瀬隊の小屋もロス棚氷の上に建てられていました。その付近の棚氷はそれから間もなく割れて氷山となって流出したと思います。現在、二つの小屋は跡形もありません。

氷縁に　集うペンギン　鯨　シャチ

マクマード入り江とロス棚氷の境界付近も広い氷原です。北側には小さな火山島のデイリー諸島が並び南側にはディスカバリー火山がそびえています。現在は噴火が確認されていませんが、山頂からの泥流が広くロス棚氷の上に流れ下り、氷と砂と火山灰の異様な光景を残しています。その先端部分が氷縁です。

一九七〇年代後半の頃のことです。火山泥流の調査をした後、氷縁にたたずんで五〇メートルほど離れたところにいるコウテイペンギンの群れを眺めていました。ペンギンたちは海に飛び込んだり、氷の上に飛び上がったりと活発に動き回っていました。

沖の方にクジラが見えました。種類は分かりませんでしたが、悠々とマクマード入り江を横断

マクマード入江の氷縁で遊ぶコウテイペンギン。背後はロス島エレバス山

していました。

気が付くと二〇～三〇羽のペンギンがほとんど水中から出て氷の上にいました。するとそのうちの一羽が私の方に歩いてきます。体全体を振るようなユーモラスな歩き方でやってきます。じっと立っていましたら、目の前五メートルほどのところで、立ち止まり、じっとこちらを見ているのです。私も氷の上に座り込み相手を見ていました。そのうち「グアー」とひと鳴きして、仲間の所に戻っていきました。

その間に沖合から二匹のシャチが泳ぎよってきました。シャチに気が付きペンギンたちは氷の上に上がってしまったのかも知れないと気が付きました。シャチは氷縁に沿ってゆったり二～三往復してから沖合へと姿を消しました。

短い時間に大型動物三種が見られた幸運の日でした。

氷盤の　ペンギン襲う　ヒョウアザラシ

この話はニュージーランド隊を指揮する南極局の局長から聞いた話で、映像も見せてもらいました。ロス島の西海岸にはスコットやシャクルトンの越冬小屋が残っていますが、さらに北の端のバード岬一帯には三万羽以上のアデリーペンギンの大ルッカリーがあります。ルッカリーの近くにはニュージーランド隊の観測小屋がありペンギンの研究者たちが夏の間は常駐して、観察を続けています。

南極大陸周縁には四種類のアザラシが生育しています。昭和基地付近で見られるのはほとんどがウェッデルアザラシですが、その他にカニクイアザラシ、ロスアザラシ、ヒョウアザラシが生育しています。ヒョウアザラシの生息範囲は広く、夏は南極大陸付近まで南下して、冬は亜南極へと北上して生活しています。他のアザラシはオキアミや小魚が主食なのに、ヒョウアザラシはイカや魚も食べますが、他のアザラシの子やクジラ、ペンギンを食べる獰猛な肉食獣です。天敵はシャチです。シャチはどのアザラシも襲います。

そのヒョウアザラシがアデリーペンギンを襲う様子が撮影されたのです。バード岬の海岸に浮かぶ氷盤上で三羽のペンギンが遊んでいました。そこへ海中からヒョウアザラシがスッーと近づき、突然氷盤の上に飛び上がりました。その時にはすでに一羽のペンギンをしっかりと咥えていたそうです。すべて一瞬の狩りだったそうです。もし人間が立っていたら同じようにやられたのではないかと、その人は話していました。

ロス・しらせ　残る業績　地名にて

　ジェームス・ロスが率いるイギリスの探検隊は南磁極発見を目指して、エレバス、テラという二隻の船で南極を目指していました。一八四一年一月、ロスの船隊は広い海水面に出ました。陸影を右に見ながらその海を南下するに従い、南磁極は陸上にあることが分かってきました。

　ロス隊はさらに南下を続け一月二六日、前方にも陸地が見えました。翌二七日、さらに南下を続けると、陸地には高い山が二つ並び、その右側の山頂からは噴煙が上がっていました。近づくと山頂から西側斜面を赤い溶岩が流れ下っているのが確認されました。イギリスには火山がありません。船員たちは雪と氷の世界で、真っ赤な溶岩の流れ下っているのを見て、かなり驚いたようです。しかし、寒い、暑いは地球の表面の出来事、溶岩は地球の内部から噴出する現象で、不思議なことではありません。

　ロスは噴火している山を「エレバス」、その東側の山を「テラ」と、それぞれ船の名前をとって命名しました。

　現在はロス隊が発見した海氷のなかった広い海は「ロス海」、高い山が並んでいた陸地は、その後、島だと分かり「ロス島」と名付けられました。

　白瀬矗が率いる日本初の南極探検隊が開南丸でロス海を訪れたのは、それから七〇年後の事でした。一九一一年初頭、ロス海に入った開南丸でしたが、南極の夏のシーズンは終わり、大陸に近づくこともできずシドニーに戻りました。翌年再びロス海を訪れた白瀬隊は、ロス海南東端の小さな湾を発見、そこからロス棚氷の氷壁を登り、棚氷の上に小屋を建てることに成功しました。

白瀬らは南極点を目指し、氷上を三〇〇キロ前進しました。一九一二年一月二八日の地点を、最終地点とし、付近一帯を「大和雪原」と命名、日本領土とすることを宣言して引き返しました。

開南丸が停泊した湾を「開南湾」、その東側の湾を「大隈湾」と名付けました。現在その地域から南極大陸の沿岸付近一帯は「しらせ海岸」と命名されています。

富士山と並び賞賛　エレバス火山

「日本の富士山は世界一美しい山である。エレバス山は世界一重厚な山である」とチェリー・ガラードはその著『世界最悪の旅』で書いています。彼は日本にも来たことがあるし、ヒマラヤのカンチェンジュンガも見たことがある研究者です。このように世界のいろいろな山を見たことのある人でも富士山は世界一端麗な山であり、エレバス山は筆舌に尽くしがたい重厚さであると記しています。南極関係の本に富士山が登場するのはこれが初めてだと思います。

チェリー・ガラードは生物学者でスコットの第二回目の南極探検に参加し、エバンス岬で越冬したのです。しかも彼はかなり目が悪くなっていたようですが、たっての希望で参加を許された人でした。ウィルソン、そしてフィールドアシスタントのボアーズの三名が、ロス島東端のクロージア岬まで、五週間の調査旅行を成し遂げました。目的は研究の必要上、コウテイペンギンの卵を採取することでした。コウテイペンギンは年間を通して海氷上で生活し、六月から七月ごろに、産卵し、抱卵をはじめ、八月頃にふ化することは分かっていました。そのためにミッドウィンターの日に出発し、極夜の中、五週間の旅をする計画が立てられ、出発したのです。苦労の末、目的は達せられ、越冬基地に戻りましたが、その調査旅行と越冬中の出来事をまとめたのが『世界最悪の旅』でした。

チェリー・ガラードがわざわざ富士山を例に出し、その重厚な山の麓に住める幸せを感じていたエレバス山は、そのころは山頂の噴火口内には溶岩湖があり、火山活動の活発な時期でした。シャクルトン隊が初登頂したときに、山頂に直径六〇〇メートルほどの噴火口を確認しています。また暗くなると山頂付近やその上の雲が、ボーッと赤くなる火映現象はスコットの第一回の探検時代にも確認されています。

一九世紀の半ばのロス隊の時代、二〇世紀の初頭のスコット、シャクルトンの時代には、エレバス火山は噴火口内には溶岩湖が存在し、爆発を繰り返していたようです。しかし、IGYで南極観測が始まり、スコット基地やマクマード基地が開設され、エレバス山は毎日のように見られてはいましたが、噴煙も見えず、火山活動は認められませんでした。

ところが一九七三年ごろから、溶岩湖が形成され始め、活動が活発になりました。私は一九七九年から一九九〇年まで、ニュージーランドやアメリカの火山学者たちとエレバス山の共同観測を実施し、その噴火メカニズムを解明することに成功しました。エレバス山は南極にありながらも世界の活動的火山でも、もっとも調査研究が進んだ火山の一つとなりました。

エレバス火山の頂上には長径六〇〇メートルの楕円形の噴火口があります。火口底の深さは一五〇メートルで、その北側には直径が二〇〇メートルの内側火口があり、一九七〇年から一九八〇年前半まで活発に活動していました。一九八四年一〇月には、大きな爆発があり、山頂直下に建設されていた調査隊が滞在する小屋が破壊されました。噴出した火山灰は頂上部の雪で覆われていた火口丘を黒く覆いました。

エレバス山頂の火口縁から観察していると、噴火を繰り返しているのは内側火口の溶岩湖とその周縁に点在する火孔からでした。火孔の底は赤く見え、灼熱の溶岩が表面付近にまで上昇していることが分かります。ときどきその火孔からシューと灰や礫を含んだガスが噴きあがり、ドカーンと爆発音が繰り返されます。

溶岩湖の表面は黒く見えます。玄武岩質溶岩ですから黒っぽいのですが、それは溶岩湖の表面がマイナス二〇℃、マイナス三〇℃の外気に接してすぐ冷えて固まるからです。黒っぽい湖面を見ていると、やがて黒い中に何本かの赤い線が現われます。赤い線の幅は見ている間に広がり、やがてその中心部あたりが割れて、真っ赤な溶岩が噴水のように噴き出します。その噴き出す口は湖面内に二つあり、東側、西側それぞれからこのような溶岩の噴出を伴った噴火が繰り返されています。

エレバス山はハワイと同じような玄武岩質の火山です。その山頂に一〇年、二〇年の長期にわたり溶岩湖が存在し続けるのはエレバス山だけです。

夏の短い間しか、観測や調査はできませんが、地球全体から見ても、学問的に大変興味深い火山です。日本では危険なこともあり、一つ一つの爆発の瞬間を火口縁から見たことはなく、南極で初めて溶岩が噴出する瞬間を見ることができました。

南米や　東洋　西洋　入り乱れる南極半島

南極大陸の西半球側はその先端が、南アメリカ大陸から一〇〇〇キロの距離の南極半島が中心をなしています。歴史的にも多くの探検家が、その周辺を探検し調査しています。IGYではこの南極半島およびその付近の島々に領土権を主張するアルゼンチン、イギリス、チリの三カ国がそれぞれ複数の基地を維持していました。

その後南極観測に参加を決めた中国や韓国も、最初の基地は南極半島の北西側に位置するキングジョージ島（六頁地図参照）に設けました。ロシアやアメリカも基地を設けております。さらにブラジル、ポーランド、ウクライナ、ウルグアイも南極観測に進出してこの地域に越冬基地を設け、ペルーも夏だけのマチュピチュ基地を開設しています。文字通り東洋、西洋の国々、東半球、西半球の国々がまずこの地域に基地を設け、南極観測の何たるかを学び、必要ならさらにほかの地域へと進出しています。

南極にある越冬基地の半分近くが、この地域に集中しており、南極銀座の観を呈しています。

恐竜に　巨大ペンギン　石炭も

人類のアプローチがほかの地域よりも容易だったので南極半島の先端付近では、科学調査も進んでいました。南極での四脚獣の化石の発見は、一九六七年に南極横断山地でなされていますが、恐竜化石の発見は一九八六年、南極半島先端付近の南側に位置するジェームス・ロス島でなされました。この化石は白亜紀後期（九六〇〇万年～六五〇〇万年）の地層から発見されアンキロサウルス（曲竜）と同定されました。

第二の発見はイギリス隊によって、ジェームス・ロス島に隣接するベガ島でなされました。白亜紀前期（一億四三〇〇万年～九六〇〇万年前）の地層から、頭骨、上下の顎、前脚、骨盤、脊椎などが発見され、大きさが五メートルほどのヒプシロフォドンと同定されました。

ヒプシロフォドンは鳥盤類の恐竜で、前肢は短く、後肢は長く発達していました。植物を食べ、ジュラ紀末期ごろから白亜紀まで、一億年もの間地球上に栄えていました。

一九〇〇年ごろまでに、キングジョージ島やジェームス・ロス島ではペンギンの祖先にあたる巨大ペンギンの化石をはじめ、いろいろな海鳥の化石が発見されています。これらの化石の鳥類は、鳥類の祖先から歯を持たない現在の鳥類へと進化する過程の重要な時期に生きていたと推定される貴重な資料です。

恐竜が生育していたという事は、その餌になる植物も豊富でした。石炭のもとになったグロソプリテスをはじめいくつかの植物化石も発見されており、南極大陸は現在よりもはるかに温暖な気候だったことが分かります。

遭難の　現場行たし　代表として

一九七九年一一月二八日、アメリカのマクマード基地は、バード少将の南極点往復飛行五〇周年の記念行事を明日に控え、お祝いムードが漂っていました。一八時の夕食時間、バックグランドミュージックを流していた基地内のラジオ放送が突然終わり、緊急放送が始まりました。当日朝ニュージーランドのクライストチャーチを飛び立った南極観光のＤＣ10機がロス島近くまで飛来したが一三時ごろ消息を絶ち現在捜索中という内容でした。機体はその日の真夜中にエレバス山の北側斜面で発見され、すぐヘリコプターが現場に向かいました。

機体は幅一〇〇メートル、長さ六〇〇メートルの範囲に散乱し、一目で生存者はいないと判断できる惨状でした。日本人二四名を含む乗客二三七名、乗員二〇名全員の死亡が確認されました。ニュージーランド本国から南極局局長を総指揮者に、係官が派遣され、一日だけスコット基地で雪上訓練を受けた後、現場に行き、昼夜兼行で遺体や遺品の収容が続けられました。マクマード基地のヘリコプターは全てこの作業に投入され、私たちの観測計画は完全にストップしました。アメリカ人の中には観測を断念して帰国した人もいました。幸い私たちは予定より四週間遅れたものの所期の目的は達成できました。

事故が起きて以来マクマード基地の私の所には、日本の新聞記者から何回か電話がきました。

当時の昭和基地では考えられないことでしたが、どんなルートで探したのか、とにかくマクマード基地の私のいる研究室の電話にニュージーランドやオーストラリア駐在の記者から電話がかかりました。その多くは現場の状況を知りたい、南極に行けないかなどの問い合わせでした。

私は文部省にどのような行動をとるべきかと指示を仰ぎましたが、「現地の判断に任す」との答えでしたので、「遺族の立場に立って判断します」と連絡しておきました。

ニュージーランド航空南極観光機墜落現場。下方（左下）から上方へ600 mの長さに機体は散乱。尾翼と機首が先頭に重なっていた。背後の丘に慰霊の十字架が建てられた

ニュージーランドの南極局局長からは、毎日一六時ごろに情報を提供（プレスレリーズ）するからとの案内ももらい、現場の様子は毎日掴むことができていました。そんなときです。彼から相談したいと言って切り出されたのが、日本人遺族が現場に行きたいと申し出て、本国でも困っているようだが、どう思うかと問われました。仏教徒は肉親が亡くなった現場を訪れ追悼する習慣は確かにある、しかし南極はそんな場所ではない、宿泊設備もないし、現場も危険である、そんなところへ慣れない人たちを呼べるはずがない、たとえ一名でも許可したら混乱す

るから、許可すべきではないと進言しました。

その結果遺族はひとりも現場には来ませんでしたが、現場に行きたいと希望したのは日本人遺族だけだったようです。後日、局長から適切な助言だったと謝意を表されました。

ニュージーランド隊は墜落現場の近くの露岩の上に慰霊の十字架を建てましたが、その式に私を参加させてくれました。私は日本人二四名の名前を記した紙と般若心経のお守りを十字架の根元に埋め、持参した日本酒と米を備えて冥福を祈りました。そして調査中にエレバス山頂付近で採集したアノーソクレスフォノライトという単結晶の鉱物を帰国後、遺族に届け、現場の様子を説明しました。息子を亡くされた母親からは、親でもできないことをやってくださったと感謝されました。

遺族の方々にお会いした時に聞いたのですが、中には最初から南極に行くつもりで登山装備一式を持参した人が居たそうです。そして遺族たちに自分が代表として現場に行くからとの了解をとろうとしていたそうです。

ボート着く　ごった返しの　郵便局

私は二〇世紀の間は南極観光には反対でした。環境破壊もありますが、事故が起こった時の対策もないからです。ニュージーランド航空機墜落は現場がマクマード基地という南極最大の基地の近くだったこともあり、遺体遺品のほとんどは回収できましたが、他の地域ではそうはいきません。環境保全のルールもありませんでした。

現実には南極観光はどんどん行われ、二〇世紀の間は年間一万人程度でしたが、二一世紀になってからは年間三〜四万人の観光客が南極を訪れているようです。環境保全のルールもそれなりに確立しています。

観光客の多くは船で南極を訪れます。アルゼンチン南端のウスワイアから乗船し、ドレーク海峡を越えての二週間程度の船旅です。そしてその一つの観光スポットが基地を訪問した時に訪れる郵便局です。郵便局ではその国の切手を購入して投函すれば、南極からの便りを自宅に届けることができます。切手ばかりでなく南極グッズを購入できる場所もあります。

小さな郵便局に観光客がどっと来るわけですからその時は大変な混雑のようです。チリのフレイ基地では郵便局に隣接して南極グッズ販売店がありました。販売員は基地の隊長の奥さんが担当していましたが、一度に大勢くるので大変だとこぼしていました。

ペンギンは南極のシンボルであることは間違いありませんが、チリやアルゼンチンの南の地域でも同じように可愛がられている動物です。シャツやバッグなどペンギングッズを買うことができます。

今日も出た　低温示す　蜃気楼

南極を訪れた人の多くは、南極は寒いのは当たり前、という感覚で過ごすようになります。身体が慣れるに従い寒さは気にならなくなりますが、それでも蜃気楼を見ると、やはり寒いんだと改めて実感します。

船で南極大陸近づくと氷山が現われますが、遠方の氷山が海面から浮き上がったり、あるいは逆さに見える時があります。蜃気楼です。地表面の空気が冷やされて光が屈折して起こる現象ですが、その時々の条件によって、浮き上がって見えたり、逆さに見えたりするようです。

同じようなことは海岸に立っていても見られます。建物から一歩外に出たときは気にもしなかった寒さですが、蜃気楼を見ると今日は気温が低いんだと身ぶるいが出ます。私は南極で見る蜃気楼を感覚的な寒さの指標の一つにしていました（一五五頁写真参照）。

麻薬犬　南極便でも　活躍し

一九七〇年代、私が国際共同観測で初めてアリカのマクマード基地やニュージーランドのスコット基地に行き始めた頃のことです。アメリカとニュージーランドは南半球の夏の間、ロス棚氷上に滑走路を作り、ニュージーランドの南島のクライストチャーチから大型輸送機を飛ばし、共同で運行していました。

毎年一〇月後半から二月初旬までの三カ月半の間、毎週数便の定期航空路が開設され、人員はもちろん、生鮮野菜、観測機材、郵便物などの輸送を行っています。飛行機への搭乗手続きは民間航空と同じですが、初めにニュージーランドの出国手続きが行われていました。南極到着の際にはなんの手続きも要りませんが、出国手続きをしておかないと、帰路のニュージーランドへの入国手続きで「お前はどこから来た」とクレームが付けられることになります。

南半球の夏のクライストチャーチを出発するときはほとんどの人は夏姿ですが、到着前には機内で防寒着に着替えます。到着地点は夏とはいえ氷点下の氷や雪の上です。万が一南極大陸の上に不時着したような場合にも、すぐ防寒着は必要です。ですから全員が防寒着などを入れた大きなバッグと手荷物を入れたザックを持参しています。

出国手続きを終え、搭乗直前、搭乗者全員が自分のすべての荷物を持って一列に並ばされました。そこへリードを付けた犬を曳いて一人の女性が現われました。犬は女性の指示により並んでいる私たちの身体や荷物を嗅ぎまわり、何事も無かったように立ち去りました。私が体験した初めての麻薬探知犬によるドラッグの検査でした。

当時、マクマード基地でも麻薬の問題があったようで、南極への滞在者は厳しくチェックされていたのです。民間航空機に乗り、到着地のターンテーブルでの麻薬犬による検査を私が初めて経験したのは、一九八〇年代になってからと記憶していますので、アメリカ、ニュージーランド隊の麻薬探査犬の導入はかなり早い時期からでした。

第7章　あしたの南極学

北半球に住む私たち日本人にとっても、南半球の南極大陸及びその周辺に関しては、地球人として常に注意すべき地域であり、日本の文化度、経済力などを考えると、それができる力と義務があるのです。そのような視点から、南極の未来像、「あしたの南極学」を考えます。南極学は南極の自然科学だけでなく、人間活動を含めた総合科学です。

日本は　国策必要　南極大陸

日本人の南極への関心は、一九五七年の南極観測から始まりました。以来今日まで、南極は科学観測の場として考えられています。「科学者が望んだから始めたんだ。だから南極は科学者に任せておけばよい」という考えが、日本政府にはあるのではないかと思います。しかしこれまでも、科学者だけでは対応できない問題が起きていました。

「南極条約」の締結がその始まりです。アメリカの科学者たちの熱望によってアメリカ政府が動き、外交官の活躍で、一九六一年に発効しました。この条約により、外交的には日本人の南極での活動も保証されるようになりました。日本ではこの条約は外務省が当時の南極観測を主導していた科学者たちの協力で締約に力を注ぎました。

その後の南極は南極条約のもと、提起された諸問題を解決してきました。その中には南極域でのオキアミのような海洋資源や鉱物資源の保存や取り扱いの問題などがありました。

「南極アザラシ保存条約」「南極の海洋生物資源の保存に関する条約」などが採択され、発効しています。一九九一年には「環境保護に関する南極条約議定書」が採択され、南極の自然環境を包括的に保護する枠組みが構築されました。

日本は国内法を整備して、この議定書を一九九八年に批准し、発効させました。この議定書により、南緯六〇度以南の地域における人間の活動に対する環境影響評価の実施、鉱物資源探査活動の禁止、動植物相の保護、廃棄物の処理・管理、海洋汚染の防止、南極特別保護地区の設定などの取り決めが合意されました。また国内では「南極地域の環境保護に関する法律」が施行され、環境省が南極の環境保護に責任を持つことになりました。

国際問題ですから、これらの問題に関しては外務省が主導し、文部省（実際には国立極地研究所）や環境庁が協力してきました。海洋資源問題では農水省、鉱物資源では通産省も関係があります。

南極は、IGYの頃とは大きく事情が異なってきました。当時は科学観測の名のもとにすべてが処理されていましたが、現在は資源問題が絡み、多くの政府機関が関係する、あるいはしなければならない時代になっています。南極に関係する省庁が横並びで増えていっても、各省庁が同じように南極を理解しているわけではありません。南極を一番知っているはずの極地研究所の教官にしても同じで、自分の専門分野はともかく、その他の事象について、広い視野と見識がある人は極めて少ないです。

二一世紀になって間もないころの話です。私は取材のため、公務以外で初めて南極に行くことになり、旅行業者を通じて環境省に南極での行動許可証を申請しました。すると環境省の担当者から私に電話があり、私の南極での行動をいろいろ聞いてきました。私は現地の具体的な様子、例えばペンギンルッカリーの規模や状況、ミナミゾウアザラシのハーレムの位置、その周辺での私の活動などを丁寧に説明しました。その時の担当者が南極の知識をどの程度持っていたかは知りませんが、とにかく相手は素人という意識で、私は丁寧に説明しました。もちろん行動許可証は問題なくもらえましたが、私自身は何となく自作自演で許可を取ったような、すっきりしない気分でした。条約発効後間もないころで、環境省も勉強期間であったでしょう。現在昭和基地以外の場所に行く人たち、特に観光客に環境省がどのような対応をしているのかは、私は知りません。

各省庁間での南極への認識はずれがあるのです。ほとんど知識がないので、文科省に従うというような姿勢だとよいのですが、半端な知識で自己主張されるのが一番困りました。ある省庁の観測したデータを南極観測の国際会議で使わせてほしいと頼んだところ、ついに許可が出なかったことがあります。「税金で採ったデータである。外国人に使わせる理由がない」などと主張されました。私としては秘密にするほどのデータではなく、外国の研究者から、「日本が調査している海域だからそのデータを見せて欲しい」という注文でした。

秘密にしたほうが良いデータもあるでしょうが、それほど秘密性のあるデータでなければ、自由に公開したほうが、日本にとっても有利なはずですが、その省庁の担当者は、狭義の国益一辺倒でした。

これから南極で起こる諸問題に対処するためには、どうしても日本国として南極をどうするか、基本政策がぜひ必要なことを指摘したいのです。「ナショナルポリシー」という感覚で良いと思いますが、国として南極をどのように使うかの基本政策です。これからは「科学観測」という一見心地よい響きの言葉だけで処理できない問題が起こってくることは明らかです。

現実に捕鯨問題は続いています。現在の南極での調査捕鯨はほとんど南極条約の地域の外で行われているかもしれませんが、南極海の生物資源利用であることは間違いありません。北半球の島国ではできないことを、許される範囲で南極でも出来れば、また国民の視野も広がるのです。そのためには国策として南極へのビジョンが必要です。

二〇一〇年代になって、「海上自衛隊は南極観測の輸送支援から手を引く」といううわさが流れ始めました。一九六五年ふじが就航した時、その運用が海上自衛隊に託されました。当時、一部の識者からは海外派兵であるとの批判も出ました。しかし海上自衛隊の中では好意的に受け取られ、一般には経験できない地域に行けると歓迎されているとの話も聞きました。事実、私が観測隊に参加した時も、南極に行きたくて海上自衛隊に入ったという乗組員が何人もいました。

しかし、防衛庁から防衛省になり、自衛隊の事情も大きく変わったようです。最近目立つのは潤沢な予算です。予算規模を考えても、限られた隊員の中から毎年二〇〇名近い人を南極に派遣するのは確かに大変だろうとは想像できます。海上自衛隊の海外への派兵は南極ばかりではなくなりもしました。南極観測に対して、自衛隊内ではかっての魅力が薄れてきていたとしても、仕方のない事です。

しかし文科省としては南極観測のためには、観測船の運用は不可欠です。ではどうすべきか。このレベルになると、やはりしっかりした国策があって、その上で、担当する部署を決め、南極に興味関心を持ち続け、地球人としての役割を果たすのが、本当の文明国だと考えます。

外国の場合、チリの南極研究所は外務省に所属し、南極に関してはすべて外務省が所管しているようです。領土問題も絡み、陸軍、海軍、空軍も協力し、それぞれが南極に観測基地を有しています。もちろん研究者が運営する基地もあります。二〇〇〇年前後の南極研究所の所長はチリの在日日本大使を務めた方でした。私が訪問するといつも懐かしそうに、皇室との会談を話題にしていました。

イギリスは植民地省が南極を担当していました。二一世紀の今日の状況は知りませんが、少なくとも二〇世紀まではそうでした。南極条約の範囲外ではありますが、フォークランド諸島も植民地として維持されているのです。南極半島の領有権主張も同じです。

日本で南極に関する基本政策を考える場として、南極庁などという機関を求めるつもりはありませんが、せめて南極に関する共通認識が得られる常設の会義は「あってもよい」、あるいは「あるべき」と考えます。日本としてきちんとした国家的方針がないと、国際的には問題が起きたとき適切な処理や対応ができず大損をする可能性があります。

昭和基地　観測継続　人類へ貢献

「継続は力なり」の言葉のごとく、気象、地磁気、地震などの観測を昭和基地で継続するだけでも、「人類への貢献」になるのです。昭和基地で実施されている観測の中には、得られたデータを観測者のグループが解析をして、新しい知見を得るというようなものもあります。しかし、気象観測のように地球そのもの、その息吹を調べる観測は、観測者がデータを解析しなくても、国際ルールによって決められた正確な観測データを残しておくことだけでも良いのです。正確なデータが残されていれば、いずれ必要になったとき、あるいは日本の研究者ではなくても、何かの問題に気が付いた研究者が、そのデータを使って解析することによって新しい知見が得られ人類は進歩してゆくのです。データの蓄積は人類の貴重な財産になるのです。

現在は地球の温暖化が心配されています。改めて温暖化を云わなくても、私たちは、「昨年に比べて今年は暑かった」、あるいは「寒かった」などを感じるでしょう。温暖化、あるいは寒冷化などは、毎年感じる温かかった、寒かったという感覚に比べ、五〇年、一〇〇年の長期間での温度変化や気候変化を云うのです。そのためには日々の観測では、ほとんど意味は見いだせなくても、毎日毎日気温を測定しなければなりません。そして五〇年後にそのデータを見たとき、改めて、「確かに五〇年前より気温が高くなっている」というようなことが分かってくるのです。

平均気温という言葉があります。すでに述べましたが、現在ある場所の平均気温は同じ場所で続けた三〇年間の気温観測のデータを平均した値で求められています。三〇年間の気温の平均値を並べていって五〇年前のデータより気温が高くなっている、低くなっていると議論ができるのです。このように地球を知るという事には、長い年月の観測が必要です。

日本列島には世界の地震の一〇パーセントが起きていますが、そんなことが云えるのも、世界中で地震の観測を数十年続けてきて、ようやく分かってきたことです。一九五七年のＩＧＹのあとでも、地震観測は地磁気などの観測とともに固体地球物理学分野の重要な観測項目として、各基地で観測が継続されています。

第3章で述べたように一九六七年、私が越冬中、昭和基地で観測した地震記録の中に、どうも近くで起こったと思われる地震がありました。帰国後、南極の他の基地の記録を含めて調べた結果、南極大陸内に地震が起こっていることを突き止めました。

私が使用したデータは昭和基地のほか南極点基地やスコット基地、バード基地などのデータでしたが、その時観測をし、地震の記録を読み取った人々は、後日そのデータを私が使うことになるとは全く考えていません。ただ観測を続けることが、いつかは役に立つことがあるかもしれないと考え、各基地で観測を継続しているのです。たまたま私はそのデータを使わせてもらって、「南極大陸内に地震が起こっている」ことを発見したのです。私にとってはとてもありがたいデータでしたが観測をしてくれた人やデータを読み取ってくれていた人それぞれにお礼も云いません。ただどの基地のデータを使ったかを明示するだけです。

一九六九年の事でした。当時の日本の南極観測の体制は、国立科学博物館の中に設けられていた「極地センター」が、対外的にもすべてに対応していました。現在もそうですが当時アメリカの地震研究センターは、世界中の地震観測点からデータを集め、地球上で起こっている地震の震源決定をしていました。そのセンターから日本の極地センターに連絡が入り、「最近昭和基地の読み取りデータが届かないがどうしたのか」と問い合わせてきました。その連絡は地震研究所の私に回されてきました。

現在もそうですが昭和基地付近には観測基地が少なく、昭和基地のデータが入らないと南極大陸沿岸地域で約一〇〇〇キロの範囲でデータ空白領域が出てしまいます。昭和基地の北方のインド洋ではときどきマグニチュード6前後の地震が起きています。その地震の震源を精度よく決めるためには昭和基地のデータは不可欠だったのですが、それが届いていないので、日本へ問い合わせてきたのです。

たまたまその年の地震観測担当者は地震の専門家ではなく、測量の専門家が地震観測も兼務していました。測量の仕事が忙しく、地震の読み取りまでは手が回らずデータの読み取りができず、報告ができていなかったのです。私はすぐ実状を伝え、その隊が帰国してすぐにデータを読み取り、送りました。

昭和基地は日本から一万四〇〇〇キロも離れた南半球の地の果てにあります。そんなところで観測して日本に利益があるのかと疑問を呈する人がいます。目先の利益を追求する人にとっては全く無駄な観測をしているように見えるかもしれません。しかし、われわれ日本人も地球という小さな惑星に住んでいるのです。その惑星の性質を知らなければ、その上で住み続けることはできないでしょう。地球は有限なのです。

小さな惑星ですから壊れやすいのです。一九七〇年代には公害問題がおこりました。公害は大気汚染として各地で大きな問題になり、今日までも続き、地球上全体で温暖化が心配されるようになりました。温暖化に警鐘を鳴らしたのは日本も貢献した南極でのオゾンホールの発見でした。

一九六六年昭和基地の再開からオゾン量の観測が始められていましたが、そのとき、誰もこんな大発見につながるとは考えていませんでした。ところが一九八〇年代になって南極の空にオゾンホールが出現し、大問題になったのです。

日本も南極も地球上にある陸地です。地球上で起こる現象は人の住んでいるところでも、いないところでも観測調査をしないとその本質を解明することはできません。南極大陸は日本の面積の三十数倍の広大な陸地です。そこでどんな現象が起こっているのかを調べることは人類が地球上で生き続けるためにはどうしても必要なことです。地球上のいたるところでいろいろな現象を同じ手法で観測・調査をする、これは最近の南極観測では「モニタリング」と呼んでいますが、このモニタリングは人類にとって不可欠です

日本は世界の文明国として、地球の僻地の南極でも、モニタリングを行う力を持っているのです。文化的にも経済的にも力のある日本は、地球上の一つの観測点として全人類のために昭和基地を維持すべきなのです。

欠かせない　地球冷源の　モニタリング

南極大陸上に存在する南極氷床の体積は三〇〇〇万立方キロメートルで、その質量の氷は地球上の氷の九〇パーセントに相当します。この巨大質量の氷は南極大陸には巨大な重量として作用し、大陸を地球内部へと沈めこむ働きをしています。

地球内部に沈み込んだ大陸塊は上に乗っている氷が融けて荷重が減り軽くなると、それに応じて地球表面に浮き上がってきます。私はその浮き上がるときに、浮き上がる岩塊と浮き上がらない岩層の間でストレスが生じ、地震が発生するとの仮説を立てて調べていました。

氷床の増減による岩塊（地殻）の上昇、下降は現象の時間変化がゆっくりで長いためなかなか予想通りの結果が出ていません。しかしそんな研究ができるのは南極大陸沿岸だけなので、やはり地震、重力、海洋潮汐などの観測（モニタリンク）をしながら、氷床の地殻への作用を研究していける場所なので、しっかりした目的をもって研究して欲しいと、研究観測のレールを敷いてきました。

冷源としての南極氷床の存在は地球上の大気の大循環にかかわる問題です。気候変動や温暖化という何年、何十年という長い時間の変動現象にも関係するし、毎日の天気予報にも関係してきます。日本隊は内陸での氷床掘削を実施していますが、それとともに氷床上での氷のいろいろな変化の調査研究も必要でしょう。

昭和基地を拠点とした内陸の調査もまた忘れてはならない研究調査項目です。現在の若い研究者に求められているのは、すぐ結果を出すことです。ですから同じ南極での研究でも、長い時間をかけての現象解明のような研究テーマはどうしても敬遠されがちです。若い研究者がじっくり問題に取り組める研究環境も必要です。すぐ結果を要求される成果主義で、しかも基礎的な研究、萌芽的な研究には研究費も出ない環境では、実際は南極研究にとっては厳しい環境です。リーダーシップをとる人の力量が試されている問題でもあります。

棚氷融け　海面上昇と　大騒ぎ

地球温暖化は二〇世紀後半から云われだしましたが、それに伴って話題になるのが、温暖化で南極の氷が融けると海面が現在より上昇するという心配です。南極氷床が融けると、融けた氷の水は海に流れ込みますから海面が上昇します。海面が上昇するとそれまで陸地だった低地にも海水が流れ込み海の面積が広がります。逆に氷に覆われていた南極大陸は荷重が取れて浮き上がり陸地の面積は広がり、その分、海の面積は減少します。このように南極氷床が融けたから直ぐ海面が上昇すると考えても、そこにはかなり複雑な問題が出てきますから事はそれほど単純ではありません。しかし、南極氷床が全部融ければ、海面が現在よりは七〇〜九〇メートルぐらいは上昇するでしょう。そうなれば海に面した大都市には海水が進入し、海となり、そこに高層ビルの頭がにょきにょきと顔を出すことになるでしょう。

しかしそんな現象が起こるとしても、何千年もの時間を要するでしょうから、実際には心配はいりません。現在温暖化がらみで新聞に出るニュースは南極大陸周辺に存在する棚氷が流れ出したというものです。一九八〇年代だったと記憶していますが、南極ウェッデル海の棚氷が割れて流れ出したと報じられました。その時新聞にコメントを出した名の知れていた海洋学者は、「南極の氷が流れ出したので海面が上昇する」と云っているので驚きました。棚氷も氷山も海に浮いている氷です。海に浮いている氷が場所を移動しても、融けても海水面に変化はありません。コップに入れた水に氷を浮かせて置いて、その氷が融けてしまってもコップの水の面の高さが変わらないのと同じ理屈です。

二〇二〇年になっても同じような記事を新聞で読みました。南極半島付近の島で最高気温が二〇℃を記録したという記事が出た頃のことです。「南極半島周辺の棚氷が大量に融けたので海面上昇が心配である」というのです。巨大氷山でも、棚氷が割れて氷山になって流れ出しても、ともに海に浮いているのですから海面に変化は起こらないのです。この点世の中では大きな誤解があるようです。

現在は人工衛星から棚氷の広がりは常にモニタリングが可能です。巨大氷山が流れ出しても、消滅するまで追跡できます。南極大陸周辺の棚氷や氷山のモニタリングは南極に行かなくても可能ですが、やはりそこで起こる細かな現象、例えば風が吹いたので氷山が大量に流されたというようなことは、現場での観察が必要です。

地球上の海面変動に関係のあるのはあくまで、陸上に存在する南極氷床が海に流れ込むことです。南極氷床は少しぐらいの温暖化では大きく変化するほどヤワでないと、私は考えています。

守り続けて欲しい　南極の地下資源

一九七〇年代の事でした。アメリカで開催された南極の地球科学のシンポジウムに石油の関係者が出席しているのを奇異に感じました。当時日本では南極観測は全くの自然科学の調査研究でしたが、アメリカではすでに南極の地下資源にも目をつけている人々がいたのです。個人的な興味、企業利益だけでなく国としても南極の地下資源探査を容認する空気はありました。

アメリカやソ連（現ロシア）が、多くの南極探検の実績がありながら、南極大陸に領土権を主張しなかったのは、大陸には経済的価値を認めていなかったのです。しかし、周辺の海域には資源的価値があると考えていました。科学観測と共に、その資源的価値に興味を持ち続けることが、南極に対するアメリカの国策と私は理解しています。

一九七〇年代はアメリカの海洋底掘削船グローマーチャレンジャー号が、国際協力の形をとって世界の海のあちこちで、海洋底を掘削し地球の内部構造を調べていました。同船が日本近海で掘削するときには日本人科学者も乗船し、試料採取をしていました。そのグローマーチャレンジャー号が南極のロス海の北方海域で掘削を始めました。掘削の目的は南極大陸とその周辺の地下構造を知るためです。

掘削を始めてすぐ、メタンガスが検出されたので、掘削孔を閉じて掘削を中止しました。

メタンガスは石油の存在を示す重要な兆候です。石油が噴出した場合の事故を考慮しての中止でした。この情報によって石油関係者は南極に大きな関心を持ち始めたのです。

陸地の九〇パーセント以上の広大な面積が二〇〇〇メートルを超す氷床に覆われている南極大陸の陸上では、ほとんど地下資源の掘削は期待できないと考えられていました。しかし、南極に地下資源がないと考えていたわけではありません。スコット、シャクルトンの時代に、すでに南極横断山地では石炭の層の存在が確認されています。

五億年前に存在していたゴンドワナ大陸時代は南極大陸と陸続きだったオーストラリアはオパールの産地として有名で、ほかにも金をはじめとする数々の宝石や地下資源が存在しています。オーストラリア大陸からの類推で、オーストラリア大陸と同じような割合で宝石やそのほかの地下資源が存在するとすれば、南極大陸には膨大な地下資源が埋蔵されている可能性が高いとは推定されていました。しかし、その資源の探査も、厚い氷床のためにほとんどできず、ましてやその資源の採掘などは実際にはできないと考えられていました。

しかし南極大陸周辺域の海となると事情は違います。海底の油田や天然ガスの掘削は北極海地域でもすでに行われていました。そこで、南極大陸の周辺からは一リットルどころか一滴の石油も採れていないのに、石油の掘削に熱い視線が注がれ、試掘の計画まで出始めていたようです。

一九八〇年代に入ると、南極大陸の環境を守る必要性が叫ばれ始めました。科学者や外交官の努力で、一九九八年に「環境保護に関する南極条約議定書」が発効しました。この議定書によって南極地域での地下資源探査は五〇年間禁止されました。この議定書に関連して国内法の「南極地域の環境保護に関する法律」が制定され、観測隊員でも昭和基地からたとえ小石一個でも許可なく持ち帰ることはできなくなりました。

議定書により五〇年間は南極の地下資源は安泰ですが、二一世紀の半ばには再び資源を求めた活動が再開される可能性もあります。地球上で人類の必要な地下資源が枯渇してきた場合は、必要な資源が南極にあればそれを使わなければならないかもしれません。しかしそうなれば南極の自然環境は大きく変えられてしまうでしょう。日本はその検討時期が来ても、さらに五〇年間、南極での地下資源の探査開発を禁止する主張を続けて欲しいと願います。しかしそれこそ、本章冒頭で述べた南極への国策で決めるようになって欲しいのです。

資源は使わず　でも備えて欲しい　国際社会への対応

極地研究所が発足したのが一九七三年九月で、私が入所したのが一九七四年五月でした。そのころの日本の南極観測は典型的な学術調査を目指していました。当時南極観測を実施していたのはIGYの頃とほぼ同じ一一〜一二カ国程度でした。その中にはアメリカのように南極の地下資源にかなり強い関心を示している国もありましたが、純粋に学問の世界と考えている国がほとんどのようでした。

極地研究所では南極観測の地震、地磁気などの固体地球物理学分野の観測の責任も負っていましたが、発足直後はその分野の研究部門はまだできていませんでした。そこでそれら固体地球物理学の専門家として東京大学地震研究所で地震や火山の研究をしていて、昭和基地でも観測の経験のある私に白羽の矢が立ちました。私は定員のついていた雪氷部門の助教授として採用されました。

極地研究所に移り驚いたのは、地震研究所では考えられないほど外国との調整や会議など、南極に関する国際的な問題が山積していたことです。地下資源の問題もその一つでした。極地研究所の所内では地球内部の研究をしているのは私だけですから、すべてが「お前がやるんだ」という事になります。極地研究所は文部省（当時）が大学の共同利用機関として設置した研究所ですので、ほかの機関の研究者の協力が得られやすいシステムにはなっていましたが、その協力を得るにしても私が先頭に立たねば前に進みません。地球内部についての私の知識はほんの少しですので、ほとんどが知らないことへの挑戦でした。

地下資源の問題にしても同様でした。日本では工業技術院地質調査所（当時）が地下資源についても責任を持っていました。そこで極地研究所は地質調査所の研究者の協力を得て南極の地下資源問題に対処していきました。もちろんそれまでにも南極の地質調査で地質調査所からも観測隊員が出ていました。しかし昭和基地付近の地質調査と南極の地下資源は別の次元の話でした。

南極大陸内に必要な地下資源があるか無いかは、すでに前項でも述べたように、オーストラリア大陸との比較から、かなりの資源が期待できることは、アメリカの報告で分かっていました。

その現状から日本はどう対処すべきかが課題でした。そこで私が教えられたことは、地下資源探査で必要なことは地質図である。だから日本隊としてなるべく正確な地質図を作成しておくことが、将来起こるであろう資源問題に対処する最良の方法であるという事でした。

そのような結論が出た後は、私は極地研究所としては日本の守備範囲である昭和基地とその周辺の露岩地帯、さらに内陸のやまと山脈付近の露岩地帯の地質図を作ることを目的にして、地質調査を実施するという基本計画を立案しました。

地質図を作るにはその基本となる地形図が必要です。南極観測では地形図の作成は国土地理院が担当しています。この地形図の作成も、ＩＧＹで、すでに日本は東経三〇度から四五度の大陸沿岸の露岩地域に関し二五万分の一の地形図の作成が義務づけられていました。東経三七度三〇分から四五度の海岸線に関しては、すでに二五万分の一の地形図二図幅が完成していましたが、東経三七度三〇分より西の地域は棚氷が発達していて、近づくことができず実現できないでいました。しかし国土地理院は南極の露岩地帯に関しては地質図の作成に必要な五万分の一の地形図をほとんどの露岩地域でほぼ完成させ、さらに二万五〇〇〇分の一の地形図を逐次完成させてきました。

内陸のやまと山脈の地質調査に出向いた隊が、途中で隕石を発見し、関係者の関心が隕石探査に移り、地質調査がなかなか進まないという事もありましたが、一九九〇年ごろまでには一通りの地質図を完成させすることができました。

一九七三年九月に極地研究所が発足するとすぐ、アメリカのマクマード基地を拠点にして、「ドライバレー掘削計画」が始まりました。これはアメリカ、ニュージーランドと日本が三国共同観測として実施する計画でした。それまでアメリカやニュージーランドと個人ベースで実施していた研究テーマを、発足したばかりの極地研究所が引き継ぎ、「外国共同研究」という予算枠で、日本の南極観測事業の一つとして実施し始めたところでした。日本の南極観測事業は昭和基地以外での活動もこの予算枠で可能となり、外国との共同研究もできるようになったのです。

そんな環境の所へ私が入所したのです。初代所長の永田武の考えは、昭和基地付近では地下資源は期待できないが、ロス海がある西南極（南極大陸の西半球側）には可能性がある。アメリカやニュージーランドとの共同研究で、この地域での地球科学分野の研究を継続しておけば、いざ資源問題が話題になったときでも、日本も研究の実績からそれなりの発言ができるだろう。極地研究所で「地」に関係している研究者は「カミヌマ」だけだから、「君がマクマード基地での共同観測に責任を持て」と云われました。命令する方は南極の全体像を見ながら気楽に云われたのかもしれませんが、私としては非常に責任を感じました。

結果的には「ドライバレー掘削計画」に続いて一九七七年からは「日米隕石探査」を実施し、すでに述べたように成果を上げました。一九七九年からは「エレバス火山の地球物理学的研究」を実施し、南極の活火山のエレバス山の活動サイクルを明らかにしました。このプログラムは一九九〇年まで続けました。

ちょうどそのころ「環境保護に関する南極条約議定書」が発効し、南極の地下資源探査開発は五〇年間禁止されることになりました。それを潮時として、私もマクマード地域での活動にも終止符を打ちました。

個人的には南極の地下資源には、人類は手を付けるべきではないと考えています。しかしもしそうなったときのため、二〇世紀の内に国益を損ねることのないよう、関係者が助言した地形図の準備だけはして置いたつもりです

南極の地下資源開発や利用の議論が始まるとしても、まだ一〇年以上の時間があります。国家事業の南極観測です。ぜひ国益を損なう事の無いよう、研究者としての興味とは別に、国際社会へ鋭いアンテナを張り、準備だけはしておいて欲しいと願っています。

食料の　資源豊富な　南極の海

現在は世界の多くの国から批判されている日本の南極捕鯨ですが、第二次世界大戦前の一九三四年に始まりました。私は「南氷洋の捕鯨」というような絵本で、南極、氷山、オーロラなどを覚えました。一九四〇年代前半の事です。第二次世界大戦が終わるとすぐ南極捕鯨は再開されました。食糧難の時代、クジラは日本人にとって貴重な蛋白源でした。

国際捕鯨委員会で行われる日本バッシングのニュースを聞くたびに不愉快になることがあります。日本を強く批判するオーストラリアやニュージーランドの宗主国イギリスも、そしてアメリ

カも一九世紀には南極で捕鯨をしていた国なのです。アメリカの捕鯨船の活躍で南極半島付近の地形が次々に解明されていきました。南極大陸に初めて上陸したのもアメリカの捕鯨船の乗組員だと考えられています。

彼らは捕鯨ばかりでなく、アザラシも捕獲していました。乱獲のためミナミゾウアザラシは絶滅の危機に瀕していました。イギリスやアメリカの目的は脂です。クジラやアザラシの脂は彼らの貴重な資源になっていました。ところが石油の発見で脂の必要がなくなり南極から撤退したのです。

脂一辺倒のアメリカ、イギリスの捕鯨に対し、日本は食料として鯨肉を使っていました。クジラ資源は残すところがないと云われるほど、有効利用しているのです。しかし現在の日本バシングはそんな実情は考慮してくれません。「クジラはエモーショナル（感情を持つ）な動物である」それを食べる日本人は「狂気の沙汰」というのが彼らの根本的な主張のようです。人間は南極の動物には手が出せないのでしょうか。

現在は地下資源同様、南極周辺の動物も完全に保護されています。しかし未来永劫そんな状態が続くのでしょうか。

南極の海は人間にとって貴重な蛋白源となるオキアミが生存しています。その蛋白源は動物にとっても同じで、ペンギン、アザラシ、クジラなどが生育する海域になっています。

夏の南極圏は日照時間が長いです。太陽高度は低いですが、斜めに射しこむ陽光でも長時間の間には多量なエネルギーを海に注ぎ込みます。そのエネルギーの光合成によって南極海には珪藻のような多量の植物プランクトンが発生します。その植物プランクトンを餌にして生きているのがオキアミです。

オキアミはエビに似た甲殻類で熱帯から極域までの地球上のすべての海域に生息しています。南極海では七種のオキアミが確認されていますが、その中でもっとも大きな個体がナンキョクオキアミで、その資源量も圧倒的に多く、南極海全体では一〇億トンとも二〇億トンともいわれています。飼育環境下では七年以上も生きることが確かめられています。成熟するには二〜四年かかり大きさは六センチほどになります。

夏は海面付近で豊富な植物プランクトンを食べ、餌の無くなる冬は海氷に付着したアイスアルジーと呼ばれる藻類を削り取って食べているようです。このナンキョクオキアミがいるのでひげクジラが南極に回遊してくるのです。そしてアザラシ、ペンギン、魚、イカなどの大型生物がこのナンキョクオキアミを餌にして生きているのです。ナンキョクオキアミは南極海の生態系の基本生物です。

ナンキョクオキアミは日本でもすでにソーセージとして加工されていたり、せんべいに張り付けたりして、食料として利用されているようです。ナンキョクオキアミに依存している生物は多いので、何らかの原因でひとたび激減すれば、南極海の生態系はたちまちバランスを崩してしまいます。

南極海の生態系を壊すことなく、上手に利用してゆくことが重要です。そのためにはモニタリングを怠らず、そこで起こっている現象を常に把握しておくことが重要です。メディアを賑わすような研究ではないかもしれませんが、食料は人間が生きていくための根幹です。まさに継続した研究が望まれます。

南極を　青少年の　訓練の場に

私は二一世紀を迎えた頃、昭和基地を日本の青少年の訓練の場にも使いたいと提案し続けました。専門学校を卒業したばかりの若い技術者の卵たち、建築、電気、機械などいろいろな職種の人を、毎年昭和基地に連れて行って、それぞれの分野の仕事を手伝わせるのです。

昭和基地にはもちろんそれぞれの分野の専門家が観測隊員として参加しています。その専門家を先生に、夏の間だけ、半人前の若者が昭和基地で設営の仕事をするのです。各人責任をもって自分の仕事をやらなければ、昭和基地の越冬に支障をきたします。自分の仕事の責任の重さを自覚させながら、技術を磨き、実力を発揮させる場として、昭和基地を利用すべきというのが、私のかねてからの主張です。限られた期間、限られた人員で、補給もままならない環境ですから、応用力が問われます。南極帰りの技術者は一級品と折り紙が付けられるような、教育が可能な場です。

現在はあるのかないのか知りませんが、少なくとも一九八〇年代はニュージーランド隊もアメリカ隊も、南極に関して青少年関係のプログラムがありました。ニュージーランド隊は毎年数名のボーイスカウトの子供たちが一週間程度スコット基地に滞在して、基地観測の実情や周辺の自然に触れていました。

アメリカ隊は高校の先生とその生徒がセットでマクマード基地に滞在していました。物見遊山的な面もあると感じましたが、南極の自然、基地の人間模様、ひいては地球を知る教育であることは間違いありませんでした。

自国から五時間程度の飛行で南極に到着するニュージーランド隊、また空路なら二日程度でマクマード基地に到着するアメリカ隊に比べ、日本は昭和基地の滞在を含めて往復に四カ月もかかります。南極で活躍できるのは、南極の夏で、日本の入学試験や学年末とも重なり高校生を連れて行くにはいろいろ問題がありますが、若者に南極を知らせる努力はすべきだと考えています。

高校生が無理なら手始めに自衛隊の訓練学校の生徒を、海上自衛隊の輸送業務とは別枠で連れて行くのも一つの方法かもしれません。とにかく一〇代の若者に南極を体験させ、その経験を発信させることにより、青少年により一層広い視野を持たせられると考えています。

日本でも夏隊の同行者として小中高の先生二名を毎年昭和基地に連れていき、南極からの授業を行っています。このプログラムがどのくらい効果があるのかは、やはり派遣された教師の技量にかかるようで、私は評価を控えます。

守りたい　でも見せたい　南極の大自然

南極を訪れた人は異口同音に美しい、素晴らしいを連発します。確かにその通りなのですが、白い陸地に白い山、そして青い空、岩が見えても茶色の岩肌、日本の山紫水明の景色からは決して色彩豊富な風景とは呼べません。しかし美しいのです。なぜでしょうか。

私は究極的には白が基調だからだと思い至りました。花嫁の純白のドレスに代表されるように、基本的に白は美しいのでしょう。

そして白い氷は屈折によって青い色に変化します。その青も、蒼、藍、碧などいろいろな変化に富んでいます。一見白く見える大陸斜面も紫色に見えることもあります。その上に太陽が昇るときは、朱、紅、ピンクやオレンジなど同じ日の出や日没の前後の赤色でも時々刻々とその色は変化していきます。

色彩の単純さに加えて、風景は壮大すぎて変化に乏しいと云った方が良いかもしれません。どちらかと云えばのっぺりとした感じです。その上に存在する巨大な氷床、そこから生産される巨大な氷山、すべてが北半球のそれとは、スケールが違うのです。

南極大陸の周辺に生息している動物は種類は少ないですが、一つ一つの個体数は莫大です。数多くの個体数を維持することによって、その種が守られていると考えられています。

ペンギンを例にとると、地球上に生育するペンギンの種類は亜種を入れて一八種とされています。南極大陸から南緯五五度以南の南極圏には亜種を入れて八種類が生育しています。

日本人にとってペンギンは寒い地域に住む鳥ですが、実際は広く南半球全体に生育しています。熱帯のガラパゴス諸島に住むガラパゴスペンギン、南アメリカ沿岸にいるマゼランペンギンやフンボルトペンギン、アフリカ南端のケープペンギン、オーストラリア大陸メルボルン郊外のフィリップ島のフェアリーペンギンなど温暖な地域にも住んでいます。

もっとも寒い地域、南極大陸の周辺にはコウテイペンギンとアデリーペンギンの二種類が生育しています。アメリカのマクマード基地やニュージーランドのスコット基地のあるロス島東端のクロージア岬（南緯七七・五度）にはコウテイペンギンの、また西端のロイズ岬（南緯七七・六度）にはアデリーペンギンの、それぞれ世界最南端のルッカリーがあります。ヒゲペンギンも南緯六六・五度ぐらいの比較的高緯度まで分布しています。

コウテイペンギンは年間を通して南極大陸周辺の海氷上に生息し、そこで産卵、抱卵をしてヒナを育てます。その他の種類のペンギンは夏に南極大陸周辺の露岩地帯に集まり営巣して、産卵し、ヒナを育てます。その営巣地（ルッカリー）には数千から数万羽のペンギンが集まり、ペアとなってヒナを育てます。一〇万羽の個体数のルッカリーも確認されています。私は五万羽のルッカリーしか見ていませんが、見渡す限りの広さの丘陵にペンギンがいる、その数の多さに圧倒されます。

ペンギンやアザラシの生物は別として、広大な南極の風景を切り取ると、その一つ一つは大した風景ではありません。よく写真集などで報じられる南極の美しい風景は、何時間、何日も粘っである一瞬をとらえた写真が多く、南極に行けば必ず見られる風景とは限りません。

それでも南極に行った人々は、普通の南極の風景に感動します。それはひとえに南極のスケールが桁外れに大きく、人間に迫ってくるからだと私は考えるようになりました。しかしいくらスケールが大きくても、人間の活動が入れば、その自然環境はすぐ破壊されていきます。温暖化や環境汚染が心配される地球ですが、それは「地球が有限である」ことを忘れた人間の傲慢な活動の結果です。

地球規模に比べれば、それよりはるかに小さい南極です。そこで我々人間が勝手なふるまいをしたら、大自然とはいえその環境は極めて短い時間に破壊されてゆくでしょう。

南極の大自然を見たい人には、一人でも多くの人に見てもらいたい、でも南極を破壊してはならない。このジレンマは多くの南極研究者は持っています。そして二一世紀に入っては、厳重な制限を設けて、緯度が低く航海しやすい南極半島周辺の観光が盛んに行われています。

もうやめて　南極大陸内の　冒険旅行

私の感覚的な記憶では、二〇世紀の間には毎年一回か二回ぐらい、つまり一組か二組ぐらいの人々が、時には単独で、あるいはグループで南極大陸内の横断旅行や南極点往復旅行、最高峰のビンソンマッシフやエレバス火山の登頂などがなされていました。最後のフロンティアとして南極大陸内は冒険の世界でした。

南極での活動を探検と称する人がいます。実際ＩＧＹの時も、日本のメディアは最初の頃は「南極探検」と報じていた時期もあります。世の中では探検と冒険がしばしば混同されています。探検は未知の地域に分け入り、その地を調査し、そこがどんな場所か、何があるのか、人類へもたらす恩恵はあるのかなどを明らかにしていきます。その成果は人類共通の財産になります。

冒険はあくまでも個人個人が苦しい条件、厳しい条件を克服して成し遂げる行動です。行動する地域の様子はすでに分かっているのです。そこでの楽しいこと、苦しいことなどはすべて予測でき、その見返りが期待できるので、実行し、その喜びや苦しみはすべてやっている本人に帰結します。冒険は個人個人が自分のためにしているのです。南極大陸もＩＧＹが始まって二〇年もするとその内陸の姿もほぼ解明され、探検の世界ではなくなっていました。

南極条約では南緯六〇度以南の地域は科学観測に限り活動を許されていましたが、領有が主張されている地域でも、実際には人の往来は厳しく制限されていました。観測隊はすべての行動を事前に各国に報告していましたし、現在もすることになっています。

そんなルールがありましたが、実際には南極観光は一九六〇年代には始まっており、冒険旅行も始まりました。冒険旅行は多くの場合資金の調達が必要です。そのため多くの内陸旅行隊は何らかの科学的な目的を掲げます。現在の南極は二〇世紀はじめの英雄時代の南極探検とは異なり、旅行の片手間にできる調査や測定はほとんど残っていません。科学調査と称しても、それぞれのグループがどんな成果を上げていたのかは、極地研究所で南極の研究成果には常にアンテナを張っていた私の耳にほとんど届いていません。

南極大陸をオートバイで横断して環境保護を訴えることを目標にして、実行した人がいました。その人の主張をメディアを通して聞きましたがオートバイで走りながら、地球を汚さないように訴えるのだという事でした。人のいない南極氷床上を走行して誰に訴えるのかは理解できませんでした。南極を汚さないためには、そんな冒険をしないことこそ最善の方法のはずです。

南極大陸の冒険旅行は枚挙に困りません。しかしどの旅行も、個人的な欲望を満足させる以上の成果は認められません。このように南極大陸内での冒険旅行では、人類への知的財産の取得は困難な時代に入っているのです。冒険旅行程度で分かることはすべて分かっているのです。いろいろな理屈をつけて行われていますが、人類にとっては得るものがないのでやめて欲しいのが、私の偽らざる気持です。

南極に　いながらできる　世界一周

二一世紀の今日、南極の情勢は二〇世紀半ばのＩＧＹが始まったころと事情は大きく変わっています。ルールを決めての観光旅行への参加は、南極を見てみたいという人々にはもっとも安心して南極を見られる、訪れることのできる手段です。南極は科学者だけの世界ではありません。人類共通の財産として、地球上の国際公園として保存し、その一部は南極観光ジオパークとして利用するのが実行可能な案だと考えていました。そこで私は二一世紀を目前に『南極に行きませんか』（出窓社、一九九九）を世に出しましたが、南極観光も時代とともに形が変わってきました。その後、日本には南極観光のガイドブック的な本がない事に気が付き『旅する南極大陸』（三五館、二〇〇七）を上梓しました。

南極観光の形態が大きく変わったのは一九九〇年前後のソ連崩壊、ベルリンの壁の崩壊の結果です。長く続いた東西冷戦の終結で、ソ連が北極海で使用していた数隻の船の用途が無くなり南極観光船として使われるようになったのです。

南米南端の港を始め、ニュージーランド、オーストラリア、南アメリカなどの港から乗船し一週間ぐらい南極大陸周辺を航海し、南極を体感して帰国するという南極観光旅行が流行しました。日本からですと二週間から二〇日間ぐらいの旅になります。

この種の旅の原点はアルゼンチン南端のウスワイアから乗船し、南極半島先端付近に点在する島々を巡り、事情が許せば南極半島のどこかの海岸に上陸し、南極大陸にも足跡を残せるという旅です。ヒゲペンギン、ゼンツーペンギン、アデリーペンギンのルッカリー、巨大なミナミゾウアザラシのハーレム、南極の活火山・デセプション島の温泉などを楽しめる旅です。

南極で二〇年間ぐらい使われていたソ連（現ロシア）の多くの船が老朽化して南極観光から撤退した後は、乗客が数百人程度の小型観光船が就航し、南極半島付近の観光が南極観光の主力となっています。現在日本の旅行社が募集する南極観光もほとんどこの南極半島周辺の観光です。

それと並行して、チリの南端プンタアレナスを基地に、キングジョージ島のチリのマーシュ基地（フレイ基地と併設）への航空路が開かれました。八人乗り位の小型プロペラ機で五時間程度の飛行により到着します。空港に接してホテルが併設されており、一九九〇年代に日本の新婚カップルが一泊五万円の部屋に一週間滞在していたとチリの観測隊の人たちの間では語り草になっていました。

ホテルとはいっても、トイレ、シャワーは共有ですし供される食事も豪華ではありません。付近にはチリの観測基地のほかロシア、ウルグアイ、中国の基地が数キロの範囲で点在していますが、それぞれの基地へ行くには徒歩です。「ホテルでタクシーを呼んで」観光するなどはできません。湾を挟んだ対岸には韓国やアルゼンチンの基地もありますが、これはボートが無ければ行けません。それでもキングジョージ島に一週間も滞在すればあちこちのペンギンルッカリーやミナミゾウアザラシのハーレム、海岸では南極オットセイを見ることができます。採取は禁じられていましたが当時でも化石が発見されていましたから、見たかもしれません。

ソ連の崩壊直後、この島にあるロシアのベリングスハウゼン基地は、本国からの補給が無く、食料援助を周辺の基地に要請したそうですが、二〇〇〇年に私が訪れたときには基地内の建物のうち最大の建物をホテルに改造していました。その後の運営のニュースは入ってきませんが、キングジョージ島では現在もホテルは運営されているそうです。

民間企業によって新しく開発されたのが、ビンソンマシッフ近くのパトリオットヒルズに開設された観光用のキャンプです。現在は最初のキャンプから数キロ離れた地点にグレシャーキャンプが建設されています。宿泊用のテント、トイレ、シャワー、食堂などのテントが併設され、観光客は一度に数十人が滞在できます。チリのプンタアレナスの空港からジェット機で約五時間の飛行で南極氷原に到着します。

そこで滞在をしていて天候次第で南極点の日帰り往復旅行やビンソンマシフへの登頂、ウェッデル海側のコウテイペンギンルッカリーの見物など、南極観光が満喫できる仕組みになっています。このルートで日本から南極点往復の旅行が、二週間の旅程で一〇〇〇万円を超す価格で売り出されている広告を見たことがありますが、旅行が催行されたかどうかは分かりません。

このような南極観光は今後も続くでしょう。特に観光船での周遊は南極の陸地に滞在する時間が短いので、人為的汚染も少なく、南極観光としては奨励されるでしょう。現在は南極観光に使える船の数が限られていますので、観光客は年間三〜四万人、日本からはその一パーセント程度の数に推移しています。近年は南極観光の費用も上昇しており二〜三週間の旅程で日本からは二〇〇万円を超えるのが普通のようですから、やはり高額な旅になっています。

そんな中でせっかく南極旅行を目指すなら私が是非勧めたい船旅がありましたが現在はそんな案内を見たことがありません。周航を実施したアメリカの会社はその後も計画すると云っていましたがまだ実現はしていないのでしょう。それは南極大陸周遊の航海です。

ニュージーランドや南米南端の港を出航した船は、南極海のある地点を起点として南極大陸の周航を始めます。そして南極大陸に点在する各国の観測基地を訪れたり、ペンギンルッカリーを訪れたりと、南極大陸と周辺の海氷や氷山を眺めながら、大陸を周航していきます。気温の低い日には蜃気楼で浮き上がる氷山も見られるでしょうし、ヘイロー（日本語ではハローあるいは幻日）のような光の現象も見られます。

この南極大陸周航のハイライトはやはりロス海でしょう。ロス島に残るニュージーランド隊によって保存されているスコットやシャクルトンら英雄時代の越冬小屋の内部も見られます。マクマード基地やスコット基地の売店での買い物もできるでしょう。自宅や友人に絵葉書を投函することもできます。中国や新しくできた韓国の基地の訪問も可能です。一万羽を超すペンギンのルッカリーも複数点在しています。そして何よりもマクマード基地の近くまで船が入れたとすれば、そこは地球上最南端の航海可能な海域に達せたのです。明治時代に白瀬矗に率いられた日本南極探検隊が基地を設けたクジラ湾を訪れることができるかもしれません。クジラ湾は付近にクジラが多いことから名づけられました。ロス棚氷の末端に長く続く氷崖や広大な雪原にも息をのむことでしょう。

このように南極大陸の周航を続け最初の起点に戻ると地球の全子午線（経度〇度から東経・西経一八〇度の経度線）を横切ったことになり世界一周を達成できます。日本からの参加でも七〇日ぐらいの日程ですから、中低緯度での世界一周よりは、はるかに短い時間で世界一周ができ、しかも南極の風景が楽しめるのです。

ただ料金が数百万と高額であること、日数が長くなることから、希望者は多くなさそうです。

でも南極を満喫できる船旅であることは間違いありません。なおこの航海の時、昭和基地にも寄港しようとしました。昭和基地への訪問は海氷に阻まれ船は近づくことができませんから、観光船所有のヘリコプターで基地へ到着することになります。第一回目の訪問の時は南極観測船しらせの到着前で、越冬隊員にとってはほぼ一〇カ月ぶりの外部からの訪問者で歓迎されたようです。しかし二回目の時はしらせ到着と重なり、観光客の訪問は断られました。

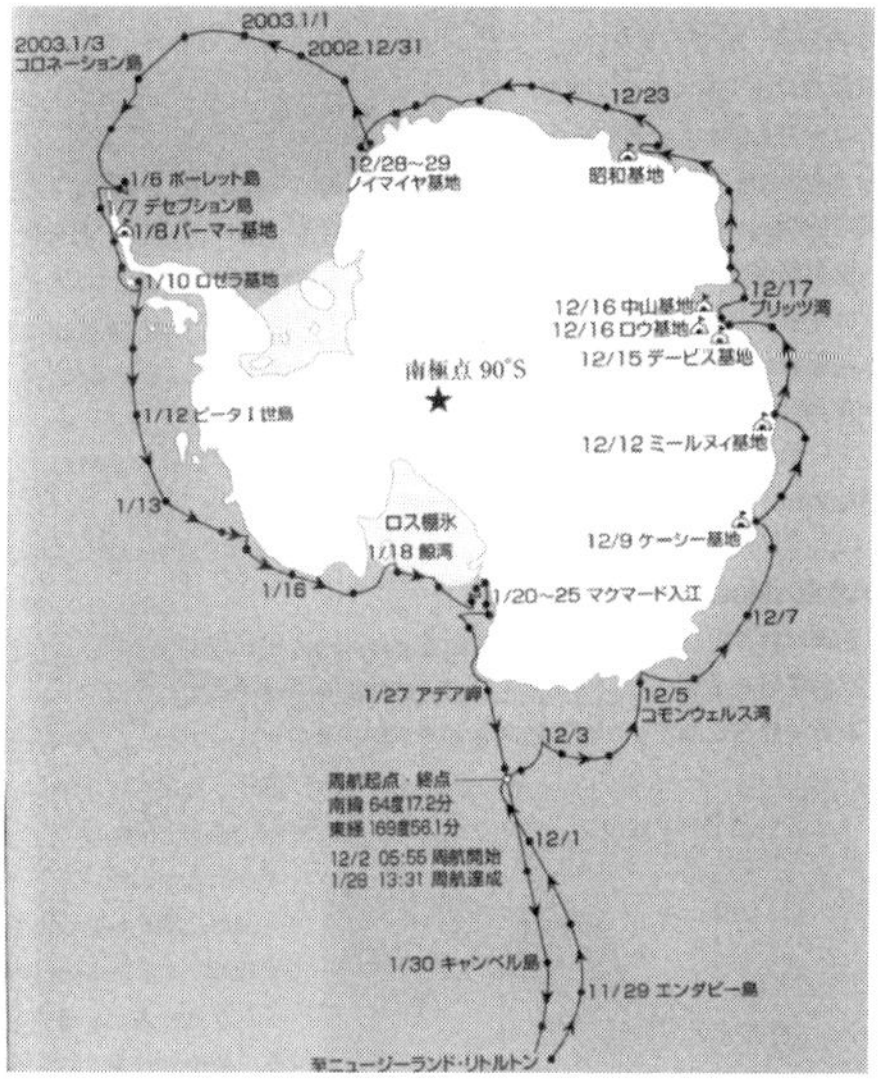

南極大陸周航の観光ルート例（『旅する南極大陸』三五館より）

南極で　オーロラ観光　期待せず

オーロラは極地特有の現象です。オーロラ粒子とも呼ばれる電気を帯びた陽子や電子（荷電粒子）が太陽から絶えず流れ出しています。この流れをプラズマ流と呼びます。プラズマ流は秒速三〇〇〜五〇〇キロの高速で、密度は一立方センチに五個程度で、太陽風とも称されます。この太陽風が地球にも吹きあたると、電気を帯びているので、地球の磁場に捕まり磁力線に沿って地球表面に降ってきます。その降ってきた荷電粒子は地球表面の大気中に存在する原子や分子、電子に衝突して発光するのがオーロラ現象です。

太陽風は時間に関係なく降り注いできます。昼間に発光しても見えませんが、観測する記録器には昼間でもオーロラの出現が記録されています。このようなオーロラをラジオオーロラと呼びます。

太陽風、つまりオーロラ粒子は磁力線に沿って地球表面に侵入しますから南極—北極を結ぶ磁力線に沿って両極に同じように降り注ぎますから、南極でオーロラが出現していれば、たとえ光の現象としては見られなくても、北極でも同じようなオーロラが出ているのです。

友人から私が南極に何回も行っているので、一緒にオーロラを見に南極へ連れて行って欲しいと頼まれたことが一再ならずあります。しかしそれは不可能です。南極でオーロラの見える時期は三月から九月、日本では夏の期間ですが南極では冬です。行く交通手段がありません。そこで私はオーロラ観光は北極でしかできない、でも北極で見られるオーロラも南極で見られるオーロラも同じであると説明しています。

オーロラは地上八〇〜一二〇キロぐらいの高さに出現します。地上一〇キロぐらいまでの対流圏には水蒸気が多く雲が発生します。雨や雪も降ります。いくら上空でオーロラが乱舞していても、その姿を見ることはできません。ですから北極でオーロラを見ることを望むなら、晴天率の高い地域を選ぶべきです。北半球でオーロラ帯の下にある晴天率の高い地域はカナダ北部です。

太平洋でたっぷり水蒸気を含んだ空気が西風によって北アメリカ大陸に吹き寄せますが、ロッキー山脈を越えるときに、水蒸気は大量に雪を降らせ内陸には乾いた空気となって流れ込んできます。そのため真冬のカナダ北部の地域では晴天率が高く、イエローナイフはオーロラ観光の拠点になっています。

二一世紀中はもちろん二二世紀になっても、日本人が南極でオーロラを楽しむには観測隊員になるほかに方法はないと思います。

南極は　世界平和の　象徴地域

南極条約に守られた南極地域は、日本がこの条約を遵守する限り、例え領土権が主張されている地域に行くのにも、ビザは要りません。戦争の道具の持ち込みはすべて禁止されており、領土権主張の国がその中で核を含む軍事兵器の実験も許されません。すでに記したように、私は南極を地球の「政治的パラダイス」と呼んでいます。私自身、各国との調査研究を通じて、条約の網掛けがある南緯六〇度以南では、何も束縛も受けることなく自由に活動ができ、「政治的パラダイス」を満喫しました。

しかし二〇世紀の前半、南極は平和の大陸ではありませんでした。捕鯨が盛んになると、捕鯨とともに南極の沿岸を探検し、そこを自国の領土にしようとする努力がなされました。海岸が支配できれば、その沖合も支配できるのです。

その大きな野望に燃えたのがドイツのヒトラーでした。第二次世界大戦の直前、ヒトラーは南極に何らかの拠点を設けることに神経を注いでいました。その目標に選ばれたのが、当時どの国も領有宣言をしていないクィーンモードランドでした。

一九三六～一九三七年、ノルウェーの調査船がこの海域で水上飛行機を飛ばし、大陸の海岸線に沿って数多くの斜め写真を撮影しました。その結果プリンスオラフ、プリンスハラル海岸など付近一帯の姿が明らかにされ、命名もされました。同じくその時発見、命名されたのがオングル島やリュツォ・ホルム湾です、その地は二〇年後には日本が昭和基地を建設することになりました。ノルウェーの地名はついていますが、その活動は空からの写真撮影だけで地に足はついておらず、足跡を印したのは日本人が人類初でした。

ドイツは一九三八年一二月一七日、耐氷装備をしたシュヴァーベンランド号に二機の飛行艇を搭載し、南極のクィーンモードランドに向けハンブルグを出港させました。ドイツ隊が氷海に到着する寸前の一九三八年一月一四日、その野望を見抜いたノルウェーはクィーンモードランド全域の西経二〇度から東経四五度の海岸線一帯の領有を宣言したのです。

奇しくもそれから二一年後の一九五九年一月一四日に昭和基地では、2次隊で置き去りにする結果になった一五頭のカラフト犬のうち、タロ、ジロの兄弟犬が3次隊によって発見されました。

ドイツ隊は西経一四度から東経二〇度の地域を一二〇〇キロ飛行し、三五万平方キロにわたり航空写真を撮影、付近一帯をノイシュヴァーベンランドと命名し、帰国後に地形図の作成を行ないました。第二次世界大戦後に分かったことですが、この時の成果はドイツの敗戦によってほとんど廃棄処分されてしまいました。

一九四一年に入ると南極も捕鯨や冒険の世界ではなくなりました。同年一月一三日、ドイツの攻撃艦によってノルウェーのクジラ加工船三隻と捕鯨船一一隻、合計四万トンの船舶が捕獲されました。ケルゲレン諸島の一つにはドイツが潜水艦や攻撃艦の補給基地や休息する港を設けました。ドイツはこの隠れ家を拠点に、オーストラリア周辺に出没し、オーストラリアを始め連合国の艦船数十万トンを撃沈させたり捕獲したりしていました。

一九四〇年チリは南極の西経五三度から九〇度の極点を結ぶ扇形地域の領有を宣言しました。またアルゼンチンは一九四二年、西経二五度から七四度の領有を宣言し、南極半島はイギリスを含む三カ国の領有が重なる地域となりました。

ドイツの潜水艦基地探索のために南極半島周辺を航行していたイギリスの軍艦がデセプション島に寄港しました。そこで彼らはアルゼンチン海軍の「南緯六〇度以南、西経二五度から六八度三四分までのすべての土地をアルゼンチンの領土にする」という真鍮の標札があるのを発見したのです。

この時をきっかけにイギリスとアルゼンチンの間では、デセプション島の領有をめぐり国旗を建てたり標札を建てたり、それを取り除いたりの争いが繰り返されていました。第二次世界大戦が終了してもその争いは続いていました。

一九五二年二月一日、イギリスの調査船がデセプション島に到着すると、そこにはすでにアルゼンチン隊が滞在していました。イギリス隊が船から資材の陸揚げを始めたら、アルゼンチン隊の隊長から即刻退去するようにとの通告を受けました。彼らが無視していると、アルゼンチン隊は数発の機関銃弾でイギリス隊を威嚇し、調査船を追い返しました。この時は、その後の激しいイギリスの抗議にアルゼンチン政府も、発砲はしたが危害を加える意図はなかったとの釈明で、一件落着はしました。しかし三カ国の南極半島の領有権争いは、南極条約が発効するまで続いていました。

デセプション島での発砲事件から三〇年後の一九八二年には、イギリスとアルゼンチンの間でフォークランド諸島の帰属をめぐって戦争が起こりました。フォークランド諸島は南緯五一～五二度、西経五八～六一度に位置し、イギリスの植民地として一六〇〇人が牧畜に従事して住んでいます。首都のスタンレーには日本の漁業会社の事務所もあります。南極条約の適用範囲外の地域ですが、諸島内にはペンギンルッカリーやアザラシのハーレムもあり、亜南極の風景が楽しめます。南極観光船の発着もあり、南極観光のゲートウエーの役割を果たしています。

そんなフォークランド諸島を奪回しようとしたのか、アルゼンチンが攻撃を仕掛けました。戦闘は数日で終わりイギリスの勝利に帰しました。南極条約範囲外の地域ですが、各国の領土への執着を示す紛争でした。大小いろいろありますが、南極周辺での紛争、戦争はこのフォークランド諸島戦争が最後になることを祈っています。

南極条約は領有に関しての各国の紛争を乗り越えて締結されたのです。地球上では局地的ながら、いくつかの地域で民族間の争いが続き、戦争も起きていますが、人類は好むと好まざるとにかかわらず、互いに有限な地球に住み、生活していかなければならないのです。地球上が政治的にはパラダイスになるべく、南極条約に守られた大陸を目標にして平和な世界を目指して欲しいと願うばかりです。

8次隊で南極に向かっていたときのことです。観測船ふじが氷海に入りました。砕氷した氷が船底にぶつかると船内にズシーン、ズシーンと衝撃音が伝わりました。船舶が魚雷攻撃を受けるとこんな感じなのだと教えてくれる人がいました。当時は隊員にも、ふじ乗組員の中にも第二次世界大戦の記憶を鮮明にとどめている人がいました。そんな話を聞くと、平和でない世界の航海は恐怖の連続だったのだろうと想像し、平和な世界で、南極観測に参加できる喜びを改めて感じました。

ノルウェーが領有を宣言した昭和基地周辺ですが、日本が南極条約を遵守する限り、昭和基地を維持することは認められています。日本から昭和基地に行くのにも、南極観測船が魚雷攻撃を受ける心配も無く、安心して行ける幸せを痛感します。南極観測が継続できるのも、地球上では大きな戦争が無く、平和な時代が続いているからです。その貴重な時間と空間を維持しながら、南極観測が人類の続く限り継続されていくことを願うのです。

南極条約に守られた南極の姿は、いわば地球上で人類の目指す究極の姿と云えるでしょう。平和でなければ実現しない世界です。しかし、二〇二〇年のコロナ騒動は人類の幸福は平和だけでは達成されないことを明らかにしてくれました。南極が人類の理想郷として機能するには、地球上が平和であるとともに平安、平穏でなければならないことを示してくれました。地球上での人類の安寧をどのように手に入れ、維持し続けられるか、コロナウイルスは人類に新しい課題を突き付けました。

宇宙での　訓練の場　昭和基地

二〇世紀の終わりごろの事でした。越冬隊員に選ばれた一人の隊員が、「南極での越冬は自分の目指す宇宙への第一歩」というので驚きました。彼はいつの日か宇宙関係の仕事を得て活躍したいと、希望を持っていたのです。中学、高校時代の自分を見ているようでした。

その後その人の進路を見ていると、将来の宇宙での閉鎖空間での生活で必要なスキルをいろいろ考え、時には実践しています。閉鎖空間での団体生活の基本は、昭和基地での越冬生活から得ているようですが、数人である限られた空間で一カ月間生活し、自分自身や仲間の精神状態を調べたり、コミュニケーションの取り方を調べたりと。課題は尽きないようです。そしてその原点は昭和基地での越冬でした。

宇宙船や宇宙基地ほど昭和基地は狭くはありませんが、一年間の閉鎖された社会での生活、補給はなく与えられた食料資材で生き抜かなければならない生活、そこでの人間関係の構築は、宇宙でも役に立つでしょう。昭和基地の越冬は今後も参考にされたり、参考にしたりすることが出てくるでしょう。

人間関係というソフトの面だけではありません。南極の氷床上に建物を建てるのは、月面に建物を建てるのと同じような問題が生じると、ハードな面での参考になる技術は多々ありそうです。もちろん南極の方が月面よりはるかに環境条件は良いです。しかし、建物建設に際し、ほとんど重機が使えないことは、月面も南極も同じでしょう。

プレハブの建物でも、建築資材を接続するには、細かな手作業が必要になります。宇宙服の厚い手袋はもちろん、南極での防寒手袋でも細かな手作業は難しいです。そんな問題解決も、南極でのテスト結果が解決の糸口を与えてくれるでしょう。

現在は個人の趣味的な作業として行われている、これらの課題も、日本が国として本格的に宇宙開発に乗り出すとすれば、南極は絶好の訓練の場となるでしょう。そのような時代が到来すれば、昭和基地は手狭でとても対応はできなくなるでしょう。

南極という厳しい条件下での自然環境を利用した様々な実験や研究も必要になってくるかもしれません。このような工学系の問題対処は、現在の昭和基地では手狭になってきています。目的にあった場所を選び、別の目的の基地建設も検討する必要が出てくるかもしれません。

昭和基地はあくまでも科学観測の基地であり、別に、新たに宇宙開発に備えた実験施設の開設、あるいは工学系の実験設備を有する基地の建設が必要になるでしょう。しかしそれらはすべて南極に対する国の姿勢にかかっています。地球上にある南極です。それを最大限利用する意思が国にあるかないかが問われるのです。日本の南極観測関係者にはそれだけの視点を持つことが求められているのではないでしょうか。

第8章　そして得られたもの

日本に居ても高い山に登った時、台風の時など、大自然のすばらしさ、すごさを感じます。しかし南極へ行った人が異口同音にそのようなことを口にするのはなぜなのでしょうか。私たちの日常生活は文明というシェルターに守られています。しかし南極ではそれが無いのです。南極の屋外では常に危険にさらされています。私たちの先祖の縄文人も弥生人もそうだったのではないでしょうか。自然を敬う心がおのずと形成されていくのです。

自然は大きい　人間は及ばない

南極観測隊員が帰りの船の中で語り合う、あるいは帰国後周囲に話す内容の一つに「南極の自然は大きい、人知の及ぶところでない」という話があります。もちろんその表現は人それぞれですが、根本にあるのは「自然の大きさ、偉大さ」に言及しているのです。言及するばかりではなく、彼らは自然への畏敬の念がおのずと現れる話し方をします。

南極へ観光で訪れた人も同じようなことを云います。「南極の大自然に感動した」という趣旨の発言が基本ですが、「南極で氷山が崩れるのを見て、地球の温暖化を実感した」というような新聞のコラム欄への投稿を読んだこともあります。このようなことを云われると、この人は本当に自然を分かって云っているのではないと判断できますが、とにかく南極を訪れた観光客は自然の大きさに何らかの感銘を受けることは確かのようです。

観測隊の夏隊で、二〜三カ月昭和基地付近で南極の自然に触れた人でも、観光で行った人が感じる南極感よりは一歩進んで、自分自身がその中に身を置いても、何もできないというような気持ち始めます。

そして越冬すると、自然が大きいと云うばかりでなく、そこは人の力ではどうすることもできない世界であることを実感します。越冬中、ブリザードが襲来すれば、基地という文明のシェルターの中で、じっと耐えるしかありません。何もできないのです。そしてブリザードが過ぎれば、すべての物は雪に埋まり再び除雪をするというようなことの繰り返しです。

南極は地球という一つの大自然の中の一部です。その南極に身を置いても、人知は遠く及ばず、そこでの人間活動は、自然の采配に従うだけなのです。「自然を征服する」などという言葉がありますが、自然は征服ができる対象でないことを思い知らされます。そのような事実を、身をもって体験できたことが、越冬隊員一人一人にとって、最大の収穫だったと云えるでしょう。その結果、自然への畏敬の念がふつふつと湧いてくるのです。

人間は　自然の中で　生かされている

「自然は人間が征服する対象」と云ったのは、一七世紀に活躍したフランスの哲学者デカルトです。このデカルト哲学の結果、ヨーロッパを中心に自然科学が発展しました。現在では月ばかりでなく、火星にまで人類の足跡を残すことが検討されています。しかし、科学の限界もまた見えてきました。

人間は科学を進歩させ、太陽、火に次ぐ第三の火として原子力を手に入れました。しかし、そこから発せられる放射能をコントロールすることはできません。人間のコントロールから離れた放射能は人間にはどうすることもできません。ロシアのチェルノブイリ発電所で一九八六年に起こった事故では、人類は放射能が拡散した場合の恐ろしさを知りました。そして二〇一一年の東日本大震災では、地震や津波の被害以上に、原子力発電所の事故による放射能の汚染が人々を苦しみさせ続けています。

人類はこの放射能汚染に対して有効な対策を講じられません。講じられないというよりも、元来できないのです。人類がコントロールできないものに手を出してしまったからです。まさに自然の采配にゆだねるままにせざるを得ないのです。

昭和基地で越冬した人の多くは、「人間は自然の中に生かされている」ことを実感しているようです。世の中には「自然との共生」という言葉があります。「自然とうまく付き合っていこう」という趣旨のようです。うまく付き合おうとしても、放射能は人間の気持ちなど忖度してくれません。共生ではなく、自然の中で生かしてもらっているのです。「自然との共生」を主張することは、間違いであり、自然への畏敬の念が足りません。ひところ流行した「自然へ優しく」というような言葉は、人間の傲慢さを表した典型的な言葉と云えるでしょう。「自然へ優しく」ではなく、「自然にやさしくしてもらう」ために、人類は自然に対しどのような行動をとるべきかを考えなければいけないのです。

一年間昭和基地で暮らした人たちの多くが経験することは、「人間は大自然の一部である」という事です。人類は地球という小さいながらも水のある惑星の上に、細々と誕生したのです。誕生から四六憶年の地球史の中で、ほんの二百万年ぐらい前に人間の祖先は現れたのです。そして地球の片隅で生かされているのです。

「人間も自然の一部」であり、「人間は万物の霊長」などと豪語することなどできない存在であることに、改めて気が付かされたことが、越冬した人たちにとっては何よりの成果であり、帰国後の財産になっているのです。

自然は大きく　人間は小さい　己は小さく　南極は大きい

自然　　人間

己　　南極

これは私が8次隊で越冬した時に、直観的に感じ、その後の研究生活で確信した自分自身への格言です。人生中盤にこのような気持ちを形成させてくれた南極は、私にとっては研究のフィールドであり「師」でもあります。

私ばかりではありませんが、南極で生活していると、人間の持ついろいろな欲望が、なんてつまらない物なのだと感じるようになります。私も人並みに名誉欲、出世欲、金銭欲、多くの物欲等々、枚挙に暇がなく、持っていました。しかし、そのような物を欲して悪戦苦闘をすることを考えたとき、いかに馬鹿なことをしているのかに気付かされたのです。たとえどんなにお金があったとしても、この自然をコントロールすることなどできません。どんなに権力があっても同じです。

南極生活の中で私に残ったのは目の前の自然への好奇心と探求心でした。私自身はその後の人生を、この気持ちを持ち続けて歩んできました。年齢を重ねるに従い探求心が衰えてきましたが、好奇心だけは旺盛で、地球上の面白いことを見ては、あるいは見つけては楽しみ、時には訪れています。そのような境地になれた南極の越冬生活には、今でも感謝の気持ちでいっぱいです。

越冬仲間でも、私と同じような感覚の人は多いようです。しかし、君子豹変する人も珍しい

昭和基地の建物は60年間で大きく改善され、楽しい生活が送れている。しかし、一歩建物の外に出ればマイナス20℃ぐらいでもこのように顔に氷が付着する姿はいまも昔も同じである

わけではありません。越冬中は口角泡を飛ばして、熱く南極の自然について語っていた人が、帰国後は人が変わったようにいろいろな欲望を満足させようと、猛進する姿を目にすることも少なくありません。税金で得た南極の経験を、お金を稼ぐ手段にしている人もいます。しかしそれもまた自然に生かされている人間の一つの姿なのでしょう。

昭和基地は極楽　南極は極楽　今も極楽

「南極での生活、特に昭和基地での越冬生活は『極楽』だった」とは最近になって気が付いたことです。禅僧の言葉に「極楽は探しても見つからない、気が付くものだ」とあったような気がしますが、実は私も「自分は今、極楽にいるのではないか」と気が付いたのです。

傘寿を過ぎた私は、七〇歳代の中頃に膀胱癌が見つかり、手術を繰り返しております。その時医師から云われたことは「この癌が他の臓器に転移したら余命半年です」でした。その時は、では「八〇歳まで生きられないかな」と思いましたが、傘寿を迎えることができました。ところが八一歳になって、リンパ節への癌の転移が認められ、放射線治療を受けました。そして時々診察するための病院通いを続けています。

毎月のように通院はしていますが、気分的には元気で、毎日五〇〇〇～一万歩は歩いています。ときどきは温泉に出かけ、国内の旅行ばかりでなく、治療の合間を縫って海外旅行にも年に何回か出かけています。それだけの体力、気力はまだあります。

年金生活者ですが、過不足なく生活しています。よい家族や友人にも恵まれ、精神的にも、物質的にも満足した生活を送っています。このような生活こそが「極楽」ではないかと気が付いたのです。「現在の自分は極楽に居る」と考えますと、毎日毎日が明るく、楽しく過ごせています。

昭和基地での越冬生活を考えますと、現在の心境と同じだったようです。自然環境は日本と比べればはるかに厳しかったですが、その厳しい自然を知るために、解明するために越冬しているのですから、苦になることはありませんでした。

昭和基地のすべての資材、物資は、次の隊が来るまでは全く補給がありません。不足は無くても贅沢な使い方はできません。でも、物を節約する、浪費をしないなどは日本でも実行していることで、物不足を心配する必要もありませんでした。

旬の食材はありません。季節の果物もありません。しかし日本に居ても、すべてが満足できるわけではありません。食べたい欲望はあっても、食べないからストレスがたまるというたぐいのものではありませんでした。越冬中の生活は、隊員一人一人が、与えられた環境を受け入れ、不満を云うことなく過ごしていたのです。もちろん全員が毎日ニコニコしていたわけではありません。でもほとんどの人が、現実を受けいれていて、不満を口にしないのです。不満を云っても解決するものではありません。この点がポイントだと思います。

現実を受け入れ、「こうしたらよかったのに」、「ああしたらよかったのに」などという不満、不平はほとんど出ませんでした。云っても仕方がない事だという事が、分かっていたのです。そして与えられた環境で、満足し楽しんでいたのです。

私はこのような心境こそ「吾唯足知（吾唯たるを知る）」であったのだろうと思います。

そしてその心境こそが「極楽」そのものだったと思います。そんな環境に自分自身を置くことができた人生は、本当に良かった、恵まれていたと思うのです。子供のころからあこがれていた研究者の道を歩くことができ、大自然の中で生かされていることを知り、「結局私の人生は極楽だった」と極楽に居ることを感謝する毎日です。

あとがき

二〇二〇年三月に第60次日本南極地域観測隊が一年間の昭和基地での越冬から帰国して、日本の南極観測も還暦を過ぎました。観測が始まったころ日本の国内では南極に関する知識を持ち関心を示す人はあまりいませんでした。それから半世紀以上が過ぎた今日、南極に関する知識や関心を持つ人の数は増大しています。

実際南極に興味を持ち、南極観光に行く人の数も毎年十数人程度だったのに現在では二〇〇～三〇〇人に増えています。もはや南極は日本人にとっては、研究者や観測隊だけのものではなくなっています。

そうは云っても世の中にその正確な姿が伝わっているかと云えば、必ずしもそうではなさそうです。

南極大陸は日本列島と同じように地球上にあるのです。その性質、姿を正確に知っておかなければ、地球上で起こるいろいろな事象への対応も出来ません。地球上での温暖化が叫ばれてはいても、では南極大陸の上に存在し、地球を冷やす源になっている南極氷床では氷の量が減っているかと云えば、それを示す顕著な現象は観測されていません。南極を知ることは、地球をより一層知ることであり、地球上で起こっている環境変化に対応できることです。また対応できるようにしなければなりません。

そんな南極の実情を、より理解していただきやすいようにと考えて執筆したのが本書です。最初の意図のように、読者に伝わったか否かは気になりますが、少しでも理解された人が増えていくことが、日本人全体や日本の南極への、あるいは地球への対応力が増えていくことであり、うれしいです。

私は南極観測に携わって以来、日本国民、ひいては地球人に、南極の実情を知ってもらいたいと、啓蒙書も書いてきました。本書もその一つです。本書で不十分な点は、ほかの書で確かめていただきたいと思います。巻末に拙著の極地に関する啓蒙書の一覧を乗せました。読者の疑問への答えは、必ずどこかの書にあります。

私にとっては極地の集大成のような本書の出版を引き受けてくださった青土社には心から感謝します。また編集を担当してくださった菱沼達也氏には大変お世話になりました。厚く御礼申し上げます。

特に記述していない写真は自分か越冬仲間の過去の隊員の提供です。写真を提供してくださった東京大学地震研究所時代の先輩・唐鎌郁夫氏、最近の昭和基地の情報をいろいろ教えて下さった57次隊の渡貫淳子さん他隊員の皆様に心から感謝します。

二〇二〇年八月

神沼克伊

参考文献

本書で不十分な点は、以下の啓蒙書（拙著）を参考にしてください。必ず答えが見つかるはずです。

『南極・火山・地震』玉川大学出版部、一九七七
『氷の大陸　南極』玉川大学出版部、一九七八
『25年目の南極』日刊工業新聞社、一九八三
『南極情報101』岩波ジュニア新書、一九八三
『開け行く大陸　南極』（共著）、朝倉書店、一九八三
『南極の現場から』新潮選書、一九八五
『二つの極』（共著）、丸善、一九八九
『南極の四季』新潮選書、一九九四
『南極100年』ほるぷ出版、一九九四
『北極・南極』（共訳）、朝倉書店、一九九六
『極域科学への招待』新潮選書、一九九六

『南極へ行きませんか』出窓社、二〇〇一
『北極と南極１００不思議』（共著）、東京書籍、二〇〇三
『旅する南極大陸』三五館、二〇〇七
『地球環境を映す鏡　南極の科学』講談社ブルーバックス、二〇〇九
『皆が知りたい南極・北極疑問50』ソフトバンククリエイティブ、二〇一〇
『白い大陸への挑戦』現代書館、二〇一五
『南極の火山エレバスに魅せられて』現代書館、二〇一九

著者　神沼克伊（かみぬま・かつただ）

1937年神奈川県生まれ。固体地球物理学が専門。国立極地研究所ならびに総合研究大学院大学名誉教授。東京大学大学院理学研究科修了（理学博士）後に東京大学地震研究所に入所し、地震や火山噴火予知の研究に携わる。1966年の第8次南極観測隊に参加。1974年より国立極地研究所に移り、南極研究に携わる。2度の越冬を含め南極へは15回赴く。南極には「カミヌマ」の名前がついた地名が2箇所ある。著書に『南極情報101』（岩波ジュニア新書、1983）、『南極の現場から』（新潮選書、1985）、『地球のなかをのぞく』（講談社現代新書、1988）、『極域科学への招待』（新潮選書、1996）、『地震学者の個人的な地震対策』（三五館、1999）、『地震の教室』（古今書院、2003）、『地球環境を映す鏡　南極の科学』（講談社ブルーバックス、2009）、『みんなが知りたい南極・北極の疑問50』（サイエンス・アイ新書、2010）、『次の超巨大地震はどこか？』（サイエンス・アイ新書、2011）、『次の首都圏巨大地震を読み解く　M9シンドロームのクスリとは？』（三五館、2013）、『白い大陸への挑戦　日本南極観測隊の60年』（現代書館、2015）、『南極の火山エレバスに魅せられて』（現代書館、2019）、『あしたの地震学』（青土社、2020）など多数。

あしたの南極学

極地観測から考える人類と自然の未来

2020年9月30日　第1刷印刷
2020年10月15日　第1刷発行

著者――神沼克伊
発行人――清水一人
発行所――青土社

〒101-0051　東京都千代田区神田神保町1-29　市瀬ビル
［電話］03-3291-9831（編集）　03-3294-7829（営業）
［振替］00190-7-192955

印刷・製本――シナノ印刷

装幀――水戸部功

ISBN978-4-7917-7312-1　C0040